DANIE

L'ESPACE FRANÇAIS

6e édition
mise à jour

ARMAND COLIN

© Armand Colin Éditeur, Paris, 1976, 1992
ISBN 2-200-21284-4

Armand Colin Éditeur, 103 bd Saint-Michel, 75240 Paris Cedex 05

AVANT-PROPOS

Dans tous les domaines, l'agglomération parisienne s'est comportée depuis 1850 non pas comme une capitale animant l'ensemble de la nation, mais comme un groupe « monopoleur » dévorant la substance de la nation.

J. F. Gravier, *Paris et le désert français,*
Paris, Flammarion, 1947.

Il faut sortir de l'opposition systématique Paris-province... affaiblir Paris n'est pas un moyen efficace de développer la province.
Pour la France dans l'Europe, la puissance de Paris et de sa région constitue une chance.

J.-F. Carrez, *Le Monde,* 26-11-1987.

Beaucoup plus que naguère, les Français se préoccupent de l'espace sur lequel ils vivent. D'abord parce qu'ils le connaissent beaucoup mieux du fait de leur mobilité croissante. Ensuite parce qu'ils ont une perception plus vive des inégalités spatiales, surtout dans les parties mal desservies, mal équipées ou durement touchées par la crise économique. Enfin parce qu'une conscience régionale s'est développée depuis une vingtaine d'années, du moins dans les régions périphériques de la France, pour des raisons diverses, politiques ou culturelles. Toujours est-il que les décisions ayant un rapport avec l'espace suscitent souvent des discussions et provoquent parfois des conflits. Signe des temps : de nombreux quotidiens et hebdomadaires portent maintenant sur la place publique les problèmes relatifs aux régions ou à l'aménagement de l'espace.

---

1. Nouvelle édition Calmann-Lévy, vol. 1, p. 236.

On ne peut que se réjouir de cette évolution, mais, en contrepartie, il faut bien constater que les préoccupations restent souvent marquées par des considérations locales ou limitées à l'horizon régional; la connaissance des aspects généraux et des grands problèmes de l'espace français reste souvent insuffisante. Pour beaucoup, l'image du territoire est confuse et morcelée. Sans doute est-ce dû pour une part à la très grande diversité de la France, mais aussi, pour une autre part, à l'enseignement du collège ou du lycée : l'étude du pays y ressemble, souvent encore, à un inventaire de productions, à un défilé de paysages ou à un assemblage disparate de petits territoires. Il en résulte une image plus ou moins riche, mais peu cohérente; la façon dont le territoire est agencé n'apparaît pas. L'étude de la France montre pourtant que la localisation des activités ou des villes par exemple répond à une logique et révèle des principes d'organisation.

Ce livre ne cherche donc pas à rendre compte de l'extrême variété de l'espace français — en un petit nombre de pages, ce serait une gageure —, mais à en dessiner les lignes essentielles, à en faire saisir l'organisation, à souligner quelques problèmes. Au travers de l'étude des points forts, des axes et des déséquilibres, il vise plutôt à proposer *une nouvelle analyse géographique de la France métropolitaine* et à fournir *une introduction aux problèmes posés par sa régionalisation et son aménagement.*

CHAPITRE 1

APPROCHE
DE L'ESPACE FRANÇAIS

Les formes prises par le développement économique et l'organisation spatiale offrent aujourd'hui beaucoup de points communs dans les nations qui sont économiquement les plus avancées du globe. Chacune d'elles possède évidemment des traits originaux en rapport avec sa situation, sa dimension, son milieu naturel, son peuplement, son évolution économique, son organisation politique et sa division sociale, mais toutes se conforment plus ou moins à un modèle général.

Les activités, par exemple, y ont pris partout la même physionomie. Leurs structures ont radicalement changé par rapport à l'entre-deux-guerres ou même par rapport aux lendemains du dernier conflit mondial. L'importance relative des trois grands secteurs de l'économie a été complètement modifiée dans le sens d'une « tertiarisation » progressive. Dans l'agriculture, les progrès ont été si importants qu'une petite fraction de la population active est désormais employée à produire des biens alimentaires bruts; l'industrie, après un développement très rapide, occupe encore une assez grande place mais voit son importance diminuer peu à peu; au contraire, toutes les catégories socio-professionnelles liées aux activités tertiaires sont devenues majoritaires, et elles continuent de s'accroître assez fortement : la plupart des emplois nouveaux concernent le commerce, les banques, les administrations ou les services privés; sur six emplois créés au cours des années 68 à 74, cinq l'ont été dans le secteur tertiaire et un seul dans l'industrie. Cette évolution s'est encore accentuée à la fin des années 70 et au début des années 80, période au cours de laquelle presque tous les emplois nouveaux ont été créés dans le secteur tertiaire tandis que de nombreux postes de travail ont été supprimés dans les secteurs primaire et secondaire. Dans un pays comme la France, par exemple, sait-on qu'il y a maintenant deux fois plus de fonctionnaires que d'agriculteurs?

Ces changements ont évidemment bouleversé l'organisation territoriale. Une partie très importante de la population vit et travaille dans les agglomérations urbaines. D'immenses auréoles urbanisées se sont formées autour des plus grandes d'entre elles. Le monde rural est de plus en plus dépendant des villes; ses modes de production et ses façons de vivre ont été fortement transformés. Plus encore que par le passé, les activités tertiaires jouent un rôle essentiel dans l'organisation de l'espace, car le besoin d'acquérir des biens de consommation variés ou d'accéder à de multiples services ne cesse de se développer. Ces activités tertiaires rendent compte à la fois de la localisation des villes, de leur hiérarchisation et de la formation des régions. Ces dernières ont changé de dimension depuis la Seconde Guerre mondiale car la mobilité de la population est devenue intense avec la très large diffusion des véhicules individuels; cette mobilité a entraîné une division encore plus poussée du travail, une différenciation plus forte des villes à l'intérieur des réseaux urbains et l'agrandissement des zones d'influence des plus grosses villes. Les régions apparaissent de plus en plus comme les zones d'attraction des grandes agglomérations ayant des fonctions tertiaires de niveau élevé; elles ont une ville centrale dominante qui remplit les fonctions de métropole et organise le développement de l'espace régional. Les régions, dans les pays d'économie avancée, ne sont ni des espaces physiques, ni des provinces historiques sauf exceptions; les divisions naturelles ne jouent plus un rôle important dans l'organisation territoriale; les divisions politiques du passé non plus, tant la localisation de la population et des activités a été perturbée par la révolution industrielle, puis par la révolution tertiaire. Les régions sont des espaces à caractère économique ayant une certaine autonomie en ce qui concerne les services offerts aux ménages et aux entreprises.

Si ces caractères se retrouvent dans les nations les plus développées du monde, de nombreuses variantes, d'un pays à l'autre, trahissent l'influence du milieu naturel et surtout de l'évolution historique.

La France, à ce point de vue, se distingue de ses voisins européens par un certain nombre de traits originaux qu'il faut signaler d'entrée de jeu :

1. Certains sont liés à la configuration physique de son territoire.

La dimension par exemple : 900 km à vol d'oiseau de Brest à Strasbourg, 920 de Dunkerque à Perpignan, environ 550 000 km². Si la France est un pays modérément étendu en comparaison de quelques pays du monde, c'est tout de même le plus vaste de l'Europe si on met à part la Russie, qui est à la fois européenne et asiatique. Elle est deux fois plus étendue, approximativement, que l'Italie, l'Allemagne fédérale ou le Royaume-Uni. Son territoire est suffisamment ample pour avoir donné naissance à bon nombre de cellules régionales. Son organisation spatiale est beaucoup plus complexe que celle de pays comme la Belgique, les Pays-Bas ou la Suisse.

C'est un territoire de forme massive, ramassée, grossièrement hexagonale. C'est une forme avantageuse dans la mesure où elle minimise les distances entre les habitants, donc les coûts de transports. Pour en prendre conscience, il suffit de songer à l'inconvénient que représente une forme allongée comme celle de la Norvège ou du Chili, ou bien d'une forme désarticulée comme celle de la Grèce ou de l'Indonésie. Le territoire français jouit d'ailleurs d'autres avantages : d'une situation favorable sur l'isthme le plus étroit de l'Europe, d'une grande longueur de côtes, de deux façades maritimes, enfin de la proximité des nations les plus peuplées et les plus industrialisées du monde.

La France a en outre un relief modéré qui ne gêne pas trop la circulation terrestre. C'est un autre atout, si on la compare à certains pays voisins comme la Suisse et l'Italie. C'est un pays ouvert, un

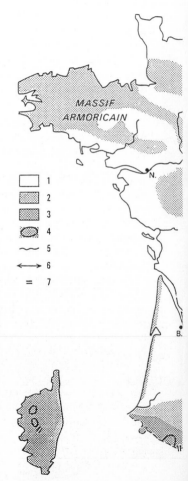

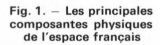

Fig. 1. — Les principales composantes physiques de l'espace français

1. Plaines et bas plateaux à vallées peu nombreuses ou peu encaissées. Sol aisément cultivable. Circulation facile.
2. Collines ou plateaux à vallées encaissées. Difficultés pour l'agriculture ou la circulation.
3. Plateaux élevés et montagnes. Circulation canalisée et souvent difficile.
4. Climat rude : au moins 50 jours de neige par an.
5. Cours d'eau navigables pour les péniches de petit gabarit.
6. Principaux seuils.
7. Principaux cols.

des plus ouverts qui soient en Europe. La gêne représentée par les reliefs importants qui sont situés à l'est de la diagonale Bayonne-Wissenbourg est tempérée par la présence de plaines, de seuils et de couloirs (fig. 1). Montagnes et massifs ont néanmoins pour conséquence un certain morcellement de l'espace dans la partie orientale, des difficultés pour les communications et des conditions défavorables pour les activités agricoles. En compensation, ils offrent des conditions favorables pour les activités touristiques.

2. D'autres traits originaux, plus importants, sont liés à son évolution démographique et économique.

La France est relativement peu peuplée, car la baisse de la fécondité y a été plus précoce que dans n'importe quel autre pays. Avec 57 millions d'habitants au début de 1993, elle dispose d'une population moins nombreuse que celle du Royaume-Uni, de l'Allemagne occidentale ou de l'Italie bien qu'elle soit le plus vaste des États européens en dehors de la Russie. Elle ne se classe qu'au 20e rang des nations du monde pour la population. Avec seulement une centaine d'habitants par km^2, c'est un espace qui paraît relativement peu occupé sur le continent; l'Angleterre, la Belgique et l'Allemagne en ont deux ou trois fois plus et les Pays-Bas quatre fois plus; même la Suisse et l'Italie, pourtant très montagneuses, sont bien plus peuplées. On constate avec surprise que la densité française est plus voisine de celle de la Nouvelle-Angleterre, dans le nord-est des États-Unis, que de celle des pays industriels de l'Europe. Paris mis à part, seule la région du Nord supporte la comparaison avec les fortes densités anglaises, belges ou allemandes (fig. 2). Les espaces faisant vivre plus de cent habitants par km^2 sont peu étendus et distants les uns des autres. Sur une large fraction du territoire, le peuplement est assez clairsemé (fig. 3); certaines parties sont carrément « désertifiées » tant la population y a diminué depuis un siècle. Il existe en particulier une bande de très faibles densités, de forme sinueuse, allant des Ardennes à l'Ariège en passant par la Lorraine, le Sud du Bassin Parisien et les hauteurs du Massif Central.

Si elle est peu peuplée, la France fait partie des nations les plus riches. En 1990, elle compte parmi les nations les plus avancées

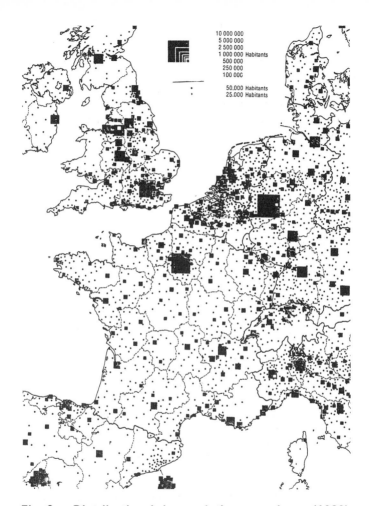

Fig. 2. — **Distribution de la population européenne (1986)**

Source : I. Kormoss, Répartition de la population agglomérée et non agglomérée (carte au 1/10 000 000), *in : Proposition pour un réseau européen à grande vitesse,* janvier 1989.

du monde en ce qui concerne le développement économique : au 4e rang pour le volume de la production après les États-Unis, le Japon et l'Allemagne. Si on met à part les petits états pétroliers, elle est au 9e rang pour le revenu par habitant après la Suisse, la Finlande, le Japon, la Suède, la Norvège, le Danemark, les États-Unis et le Canada.

Le niveau de développement économique diffère toutefois d'une partie à l'autre du territoire. Les activités sont en effet réparties de façon inégale. La France souffre d'*importants déséquilibres régionaux*, et ces déséquilibres sont *profonds* et *durables*. L'ouest, le centre et le sud-ouest du pays se caractérisent par un certain retard; les activités agricoles y tiennent encore une large place dans la production; les activités industrielles sont encore peu importantes et comportent surtout des emplois d'exécution; les emplois de commandement sont presque absents; plus que le reste de la province, la marge occidentale du territoire fait figure d'espace dominé, périphérique. Certes, les déséquilibres régionaux ne sont pas propres à la France — ils sont fréquents dans les pays industrialisés —, mais ils sont plus accentués en France qu'en Belgique, en Suisse, en Allemagne occidentale ou dans les Pays-Bas et au moins aussi sérieux qu'en Angleterre; en Europe, seule l'Italie en connaît de plus graves.

Si les déséquilibres sont très marqués, c'est que la France se trouve à cheval sur des espaces très inégalement peuplés, développés et urbanisés au sein du continent (fig. 4). Selon la terminologie utilisée par E. Juillard et H. Nonn [1], l'ouest fait partie de «l'espace périphérique» de l'Europe, observable également en Irlande, dans le pays de Galles, l'Espagne ou le Mezzogiorno; le nord et le nord-est appartiennent à «l'espace rhénan» de même que la Suisse, la Belgique, les Pays-Bas une bonne partie de l'Allemagne; enfin la vaste région qui s'étend autour de Paris constitue l'archétype de

---

1. JUILLARD (E.) et NONN (H.), *Espace et régions en Europe occidentale*, Strasbourg, C. Rech. Rég., Paris, C.N.R.S., 1976, 114 p.

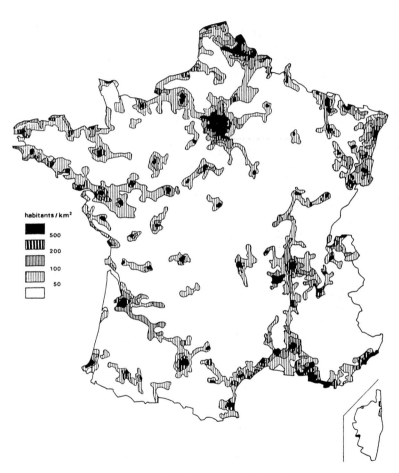

Fig. 3. — Densité de la population française

D'après une carte IGN-INSEE (1983), simplifiée.

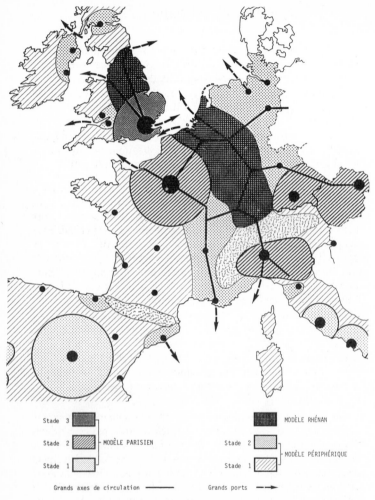

Stade 3		
Stade 2	MODÈLE PARISIEN	MODÈLE RHÉNAN
Stade 1		Stade 2
		Stade 1 MODÈLE PÉRIPHÉRIQUE

Grands axes de circulation ——————   Grands ports ——▶

**Fig. 4. — Les principaux types d'espace
en Europe occidentale**

D'après E. Juillard et H. Nonn, *Espaces et régions en Europe occidentale*,
1976.

« l'espace parisien » fortement dominé par une puissante agglomération et dont on retrouve également des exemples, avec divers stades d'évolution, autour de Madrid, Milan et Londres.

Économiquement, la France se trouve en bordure de la partie du continent où se concentrent les activités industrielles et tertiaires. Celle-ci s'étend des Midlands à la plaine du Pô en passant par les pays rhénans (fig. 5). Elle se trouve aussi, de ce fait, en bordure de la partie du continent où la circulation est la plus intense comme le suggère le dessin du réseau autoroutier européen (fig. 6).

3. Les traits les plus singuliers de l'organisation spatiale de la France sont à mettre en rapport avec sa structure politique.

Son armature urbaine a des traits inhabituels. Elle est caractérisée par *l'exceptionnelle puissance de la capitale nationale* et par *la relative faiblesse des autres grandes villes*. La concentration des pouvoirs ou des services de haut niveau est extrêmement forte. A tous points de vue — politique, économique, social, culturel — la différence entre Paris et les grandes villes de province est très accentuée. Nulle part ailleurs en Europe, on ne trouve un tel déséquilibre.

Pour l'essentiel, c'est le résultat d'une organisation hyper-centralisée de l'État, elle-même produit d'un long processus historique. La déconcentration des pouvoirs a commencé depuis la mise en place de la politique de décentralisation, mais elle n'a pas encore modifié en profondeur l'organisation de l'État, ni atténué les conséquences négatives d'une longue période de centralisation sur l'organisation de l'espace.

On en mesure mieux les effets quand on compare la structure politico-administrative de la France à celle d'autres pays européens. Dans les nations à organisation fédérale ou confédérale, la structure décentralisée de l'État a très nettement favorisé le renforcement de grands pôles régionaux, surtout si les unités politiques sont assez grandes; à cet égard, l'exemple le plus démonstratif est celui de l'Allemagne. Dans les nations à structure centralisée, la concentration des pouvoirs est loin d'avoir pris le même caractère qu'en France; en Angleterre, en Belgique ou en Italie, elle n'a pas empêché la formation de villes puissantes en dehors de la capitale. C'est ainsi

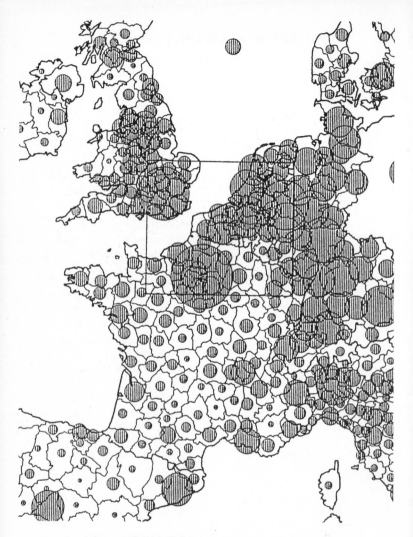

Fig. 5. — L'espace économique européen (1980)

Source : *Atlas économique de l'Europe,* Soc. Roy. Belge de Géographie,
Univ. libre de Bruxelles, 1986.
Les cercles sont proportionnels à la production totale, toutes branches
économiques confondues.

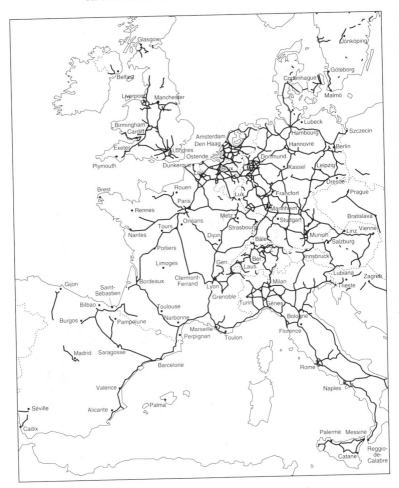

Fig. 6. — Le réseau autoroutier européen

Source : *Statistiques et indicateurs des régions françaises, INSEE, 1992.*

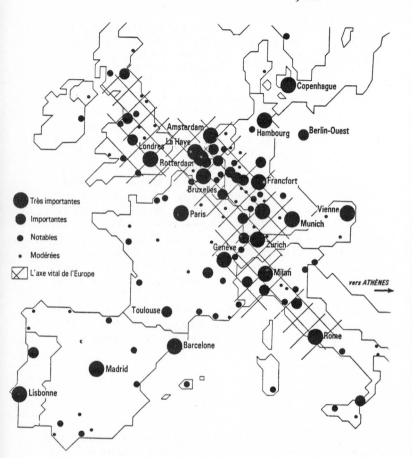

Fig. 7. — Fonctions internationales des villes européennes

Source : GIP-Reclus, Montpellier.

qu'en France, presque toutes les fonctions internationales sont exercées par Paris; rares sont les villes de province ayant réussi à attirer de telles fonctions alors que c'est le cas pour nombre de villes allemandes, néerlandaises, belges ou suisses de bien moindre importance que Marseille ou Lille par exemple (fig. 7).

Ces particularités de l'armature urbaine ont évidemment entraîné d'importantes conséquences sur la structure régionale. La France a des régions centrées sur des métropoles comme tous les autres pays avancés mais celles-ci sont souvent faibles. *A quelques exceptions près, ses régions manquent donc de force et de netteté.* Peu de ses métropoles supportent bien la comparaison avec leurs homologues d'Angleterre ou d'Allemagne. Cela est dû à la fois à la relative faiblesse de grandes agglomérations en dehors de Paris et à l'insuffisante population de la plus grande partie du pays. Un certain nombre de villes importantes peuvent être assimilées à des métropoles, mais elles n'assurent pas toujours à leur région une véritable autonomie en ce qui concerne la fourniture des services rares.

Il convient tout de même de noter que les grandes villes françaises ont connu un essor remarquable depuis vingt ans et qu'elles sont aujourd'hui dotées d'équipements importants et variés.

Mais combien peut-on en compter dans cette catégorie? Combien exercent des fonctions métropolitaines? Quelle est l'étendue de leurs aires d'influence? Comment ont-elles organisé l'espace autour d'elles?

LECTURES

Les lectures indiquées à la fin des chapitres ne constituent pas une bibliographie mais une orientation destinée à compléter l'information.

Sur l'ensemble de la France, les ouvrages suivants seront consultés avec profit :

Atlas économique de l'Europe, Soc. Roy. Belge de Géogr., Univ. libre de Bruxelles, 1986.

Decroly (J. M.) et Vanlaer (J), *Atlas de la population européenne,* Ed. de l'Univ. de Bruxelles, 1991, 171 p.

(La) *France dans le monde* (dir. G. Wackermann), C.N.G., Paris, Nathan, 1992, 400 p.

Fremont (A.), *France, géographie d'une société,* Paris, Flammarion, 1988, 2ᵉ éd., 290 p.

Pinchemel (Ph.), *La France,* Paris, A. Colin, t. 1 (milieux naturels, populations, politiques), 2ᵉ éd. 1984, 328 p.; t. 2 (activités, milieux ruraux et urbains), 2ᵉ éd. 1984, 416 p.

Pumain (D.), Saint-Julien (Th.), Ferras (R.), *France, Europe du Sud,* Hachette-Reclus (Coll. Géographie Universelle), 1990, 479 p. (France : p. 8-226).

(Les) Villes européennes, DATAR-GIP Reclus, 1989, 90 p.

CHAPITRE 2

L'URBANISATION
DE L'ESPACE FRANÇAIS

Après avoir longtemps connu un développement urbain limité, en comparaison des autres pays industriels de l'Europe, la France fait désormais partie des nations très urbanisées. Depuis 1950, les villes ont presque toutes enregistré des accroissements massifs de population au détriment des campagnes qui se vident à une vitesse jamais observée depuis le début de l'époque industrielle. Les abords des grandes agglomérations changent à une vitesse stupéfiante au point de devenir méconnaissables, parfois, à quelques années d'intervalle. Les modes de vie urbains tendent à se répandre sur la plus grande partie du territoire. L'espace rural n'est plus seulement agricole; il a acquis de nouvelles fonctions en servant de lieu de résidence à de nombreux travailleurs de la ville et de lieu de détente à une grande partie des citadins.

Ces transformations ont conféré aux villes un rôle plus important que jamais. Elles rassemblent la plus grande partie de la population. Elles contrôlent presque toute l'activité économique.

Le rôle démographique et économique des villes

— Un poids considérable et sans cesse croissant —

Le poids démographique des villes

L'urbanisation de la population française a semblé d'autant plus rapide qu'elle a été lente pendant une longue période.

Pendant le XIXᵉ et la première moitié du XXᵉ siècle en effet, l'évolution de la plupart des villes a été très calme. Le fait est facilement explicable par la lenteur du développement industriel, par le maintien de gros effectifs à la campagne en raison de la protection dont bénéficiait l'agriculture, enfin par la faiblesse de la croissance démographique. Dans l'entre-deux-guerres, les citadins ne formaient encore que la moitié de la population totale : le taux de 50 % a été atteint vers 1928 alors qu'il l'a été en 1870 pour la Grande-Bretagne, en 1875 pour les Pays-Bas et en 1890 pour l'Allemagne. La France connaissait donc un important retard dans ce domaine.

Après la Seconde Guerre mondiale, la rapidité de la croissance urbaine a modifié profondément la physionomie du pays. La brusque croissance de la population et de la production d'une part, les mutations enregistrées dans la structure des activités d'autre part, ont donné une très vive impulsion aux agglomérations urbaines.

Mais quelle est aujourd'hui la part de la population française vivant dans les villes? A cette question apparemment simple, il n'est pas facile de répondre tant la limite entre la ville et la campagne est devenue floue, tant le milieu urbain s'est imbriqué dans le milieu rural.

Depuis le recensement de 1962, on considère comme population urbaine celle des communes ayant 2 000 habitants groupés ou faisant partie d'une agglomération multicommunale. Ce n'est qu'une approche sous-estimant quelque peu le fait urbain, car beaucoup de communes ayant moins de 2 000 habitants sont incontestablement urbaines par leurs activités et leurs modes de vie : ceci est fréquent le long des grands axes routiers et surtout dans les larges couronnes suburbaines qui entourent les agglomérations importantes.

Telle quelle, la définition de la population urbaine indique néanmoins les changements considérables intervenus en moins d'une génération :

Population urbaine (en millions d'hab.)		*Part de la population* *vivant dans les agglomérations*
1954	25,1	58,6 %
1962	29,5	63,4
1968	34,8	70,0
1975	38,4	73,0
1982	39,7	73,1
1990	41,9	74,0

Vingt-neuf agglomérations ont plus de 200 000 habitants en 1990 contre quatorze en 1954 (tableau 1).

Une autre définition correspondant mieux à la réalité des dernières décennies est également disponible : elle considère que la population urbaine est formée par la population des zones urbaines et non des seules agglomérations. Les transformations enregistrées au voisinage des villes constituent en effet un des traits majeurs de l'urbanisation récente. Aux abords des agglomérations, on constate souvent un développement important de l'habitat et des activités : constructions individuelles, lotissements, établissements industriels, entrepôts, hypermarchés, commerces de bords de route. Au-delà de cette frange suburbaine, on trouve une zone plus ou moins large où le paysage est resté rural en apparence, mais où la population a peu à peu changé : ouvriers, employés ou cadres ont fait construire un pavillon ou habitent tout simplement d'anciennes maisons rurales. La limite entre ce qui est urbain et ce qui ne l'est pas est devenu de plus en plus difficile à préciser. On rencontre tous les degrés de « métamorphisme » dans l'espace qui entoure les grandes agglomérations. La périurbanisation est devenue un phénomène majeur depuis le milieu des années 70.

Tableau 1

LES GRANDES AGGLOMÉRATIONS FRANÇAISES
ayant plus de 200 000 hab. en 1990

(chiffres en milliers)

Paris	9 319	Lens	323
Lyon	1 262	Saint-Étienne	313
Marseille-Aix	1 231	Tours	282
Lille	959	Béthune	262
Bordeaux	696	Clermont-Ferrand	254
Toulouse	650	Le Havre	254
Nice	517	Montpellier	248
Nantes	496	Rennes	245
Toulon	438	Orléans	243
Grenoble	405	Dijon	230
Strasbourg	388	Mulhouse	223
Rouen	380	Angers	208
Valenciennes	338	Reims	206
Grasse-Cannes-Antibes	336	Brest	201
Nancy	329		

Les zones de peuplement industriel ou urbain (z.p.i.u.) sont caractérisées par une forte proportion de gens vivant d'activités urbaines, par d'importantes migrations quotidiennes de main-d'œuvre et par l'existence d'activités créées ou développées en raison de la proximité d'une agglomération. Dans le détail, les limites des z.p.i.u. peuvent parfois être critiquées ; il ne fait pourtant aucun doute qu'elles serrent de plus près la réalité urbaine des années récentes que les seules agglomérations. On retiendra donc, de préférence, les chiffres des zones urbaines :

Population des zones urbaines (en millions d'hab.)		*Part de la population vivant dans les zones urbaines*
1962	35,7	77,3 %
1968	39,3	79,0
1975	42,7	81,0
1982	44,4	81,8
1990	46,7	82,5

Plus de quatre Français sur cinq habitent aujourd'hui dans les villes ou à leur voisinage : proportion très comparable à celle observée dans les pays industriels de l'Europe du nord-ouest. Il y a autant de monde dans les zones urbaines aujourd'hui que la France avait d'habitants en 1955, et douze d'entre elles ont une population qui dépasse le demi-million de personnes (tableau 2).

La France a largement rattrapé son retard au plan de l'urbanisation en dépit du ralentissement sensible de la croissance urbaine au cours des années 70.

Tableau 2

LES GRANDES ZONES URBAINES
ayant plus de 400 000 hab. en 1990

(chiffres en milliers)

Paris	10 934	Nice	565
Lyon	1 636	Grenoble	541
Marseille	1 475	Rennes	530
Lille	1 192	Saint-Étienne	477
Bordeaux	1 009	Nancy	470
Toulouse	916	Bas-Escaut (Valenciennes)	447
Strasbourg	891	Montpellier	440
Nantes	718	Mulhouse	439
Rouen	684	Clermont-Ferrand	413

Le poids économique des villes

L'importance des villes dans le domaine de l'activité économique est encore plus grande que dans celui de la population.

Pour estimer la part de la production intérieure qui revient aux villes, il est plus simple de calculer celle qui revient aux campagnes et de déduire celle-ci du total national. Pour les campagnes seules, le calcul est déjà complexe : il faut tenir compte de l'agriculture, de l'artisanat, du commerce, de l'industrie et des services effectués en

Fig. 8. — L'espace économique français

Essai de représentation spatiale de l'économie sur des bases comptables (produit intérieur brut en 1969, toutes branches réunies).

[D'après D. Noin, *L'Espace géographique*, 1973, n° 4.]

Depuis l'établissement de cette carte, la production a beaucoup augmenté, mais essentiellement en milieu urbain avec le développement des activités secondaires et surtout tertiaires. La concentration de l'activité économique dans les villes s'est donc encore renforcée.

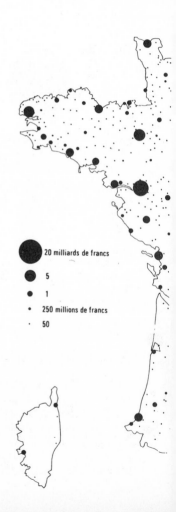

● 20 milliards de francs

● 5

● 1

· 250 millions de francs

· 50

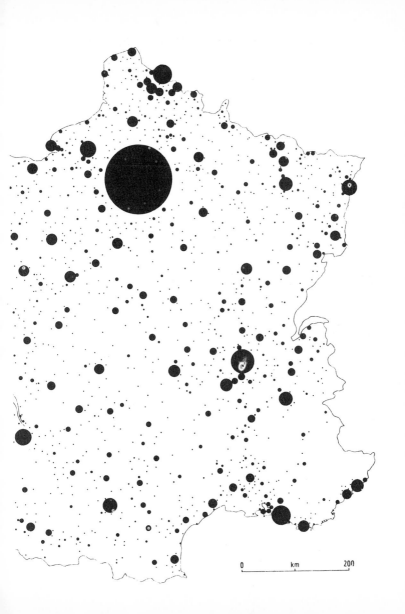

0   km   200

milieu rural; il faut aussi tenir compte du fait qu'une partie de la population active classée en milieu rural par sa résidence exerce son activité en ville. On ne peut donc obtenir qu'une approximation. Mais celle-ci est très significative : en 1969, la contribution des campagnes au produit intérieur brut était de 15 % du total; compte tenu de l'évolution enregistrée depuis lors, elle peut être estimée à 10 % au maximum en 1990.

On en déduit que les agglomérations urbaines contribuent pour 90 % à la production totale en 1990. Si on fait le calcul pour les zones urbaines, on obtient un chiffre encore plus élevé : 92-95 %.

Précisons qu'il s'agit là de la contribution des agglomérations ou des zones urbaines à la production. La part contrôlée par les villes dans l'ensemble de la production est un peu plus forte encore, puisqu'une partie de l'activité du milieu rural est faite dans des établissements dont le siège est en ville.

Le poids économique du milieu urbain est devenu énorme. Très grossièrement, *les villes fournissent les 9/10 de la production française*. Ce fait apparaît clairement sur une carte économique utilisant des bases comptables (fig. 8).

L'urbanisation à travers l'espace français

— De fortes inégalités —

Le poids démographique et économique des villes est cependant très différent d'une partie à l'autre de la France. Le territoire est inégalement urbanisé. Quelle que soit la définition retenue pour la population urbaine, les écarts apparaissent nettement.

Si on examine la carte des agglomérations moyennes et grandes, c'est d'abord l'énorme foyer parisien qui frappe (fig. 9). On observe ensuite que les villes sont nombreuses et rapprochées dans le Nord, la Lorraine, l'Alsace, la région lyonnaise, enfin le long de la façade méditerranéenne. Le semis des villes est beaucoup moins dense dans l'ouest et le sud-ouest. On note enfin des vides relatifs à l'est et au sud du Bassin Parisien, dans les Alpes méridionales et au sud du Massif Central. La part de la population vivant dans les agglomérations dépasse 80 % dans quinze départements en 1990 ; en revanche, elle n'atteint pas 50 % dans vingt-cinq d'entre eux.

Même si on tient compte des petites villes, il apparaît que l'espace français est très inégalement marqué par la présence d'agglomérations. Tantôt les villes sont nombreuses, donc facilement accessibles pour les populations rurales qui n'ont qu'une faible distance à parcourir pour y aller. Tantôt, c'est l'inverse : les villes sont éloignées les unes des autres, la distance moyenne d'accès est élevée, la desserte de l'espace est mauvaise : c'est le cas pour la moitié du territoire environ.

La carte des z.p.i.u. révèle un autre aspect intéressant (fig. 10) : *l'extension considérable des zones urbaines ou urbanisées*. La puissance et l'extension de ces zones est très inégale à l'intérieur du territoire. Les alentours de Paris, le Nord, l'Alsace, le couloir rhodanien et le littoral provençal sont très fortement urbanisés ; on peut parler ici d'urbanisation généralisée. En revanche, certaines parties du pays, et tout spécialement le Massif Central, connaissent un assez grand retard à ce point de vue avec leurs populations restées largement rurales et leurs petites villes. Le trait le plus frappant de la carte est cependant la dimension exceptionnelle de la zone urbanisée de Paris qui s'étale largement de Mantes à Fontainebleau et de Rambouillet à Senlis.

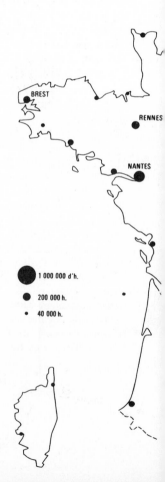

Fig. 9. — Les principales
agglomérations françaises

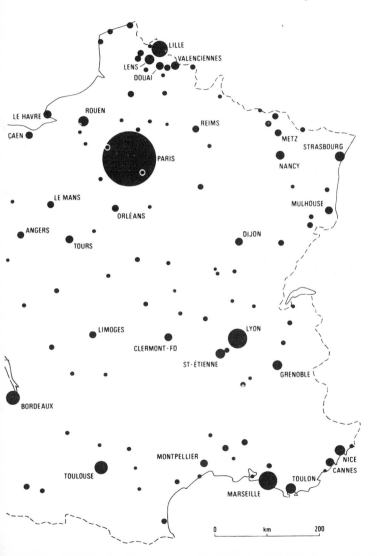

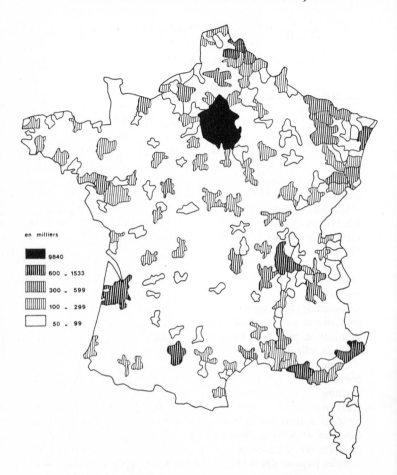

Fig. 10. — Les principales zones urbaines françaises

Source : RGP 82, *Les zones de peuplement industriel et urbain.* Seules sont représentées les zones urbaines ayant au moins 50 000 habitants.

La distribution des villes selon la taille

— Des anomalies —

La dimension des grandes villes

Si la France d'aujourd'hui ne se distingue plus tellement des autres pays industriels par l'importance de l'urbanisation, elle se singularise très nettement par la dimension de ses grandes villes : la part de Paris dans l'ensemble de la population française est considérable alors que celle des grandes cités provinciales est assez faible. Ces particularités demandent à être précisées.

L'agglomération parisienne rassemblait plus de huit millions d'habitants en 1968; elle en rassemble 9,3 millions en 1990. Elle fait vivre à peu près un sixième des Français. C'est une des plus grandes villes du monde développé.

En dehors de Paris, les grosses agglomérations sont peu nombreuses. Trois d'entre elles seulement ont une population d'environ un million d'habitants en 1990 : Lyon, Marseille et Lille. Huit dépassent le chiffre de 500 000, alors qu'on en compte une quinzaine en Italie et en Grande-Bretagne et une vingtaine en Allemagne occidentale, pays dont les populations sont pourtant très comparables à celle de la France pour l'effectif.

L'importance de l'écart entre Paris et les villes qui viennent ensuite constitue le trait le plus frappant, le plus inhabituel : Lyon, la seconde agglomération, est sept fois moins peuplée que l'agglomération parisienne alors que dans la plupart des pays d'Europe, la deuxième est deux à trois fois et demie plus petite que la ville primatiale; même en Angleterre, elle est seulement 3,3 fois plus petite en dépit du caractère gigantesque de l'agglomération londonienne. Même dans les pays où des événements historiques particuliers ont donné à la capitale une taille disproportionnée à la dimension actuelle des États, la deuxième ville n'est jamais aussi faible que Lyon par rapport à Paris : en Autriche par exemple, la population de Graz est seulement six fois inférieure à celle de Vienne.

On pourrait faire des observations similaires avec les villes suivantes : la cinquième agglomération française, Bordeaux, est treize fois moins grande que celle de Paris, alors que dans la plupart des pays d'Europe, elle est de quatre à six fois moins peuplée que la ville primatiale.

Le rang et la taille des villes

D'une façon plus générale, la relation entre la taille des villes et leur rang numérique présente en France des particularités frappantes.

Rappelons que si on porte sur un graphique à coordonnées logarithmiques, les villes selon leur population (en ordonnée) et leur rang (en abscisse), on obtient une série de points assez bien alignés en général indiquant une relation très nette entre les deux variables. Cette relation [1] — appelée communément relation de Zipf — a été observée dans un nombre élevé de pays et elle est suffisamment régulière pour qu'on puisse considérer la droite ajustée sur les points comme la distribution « normale ». Cette droite est de pente − 1. Si l'alignement des points correspondant aux villes petites et moyennes est généralement bon, les points qui représentent les plus grandes villes s'écartent sensiblement de la droite dans bon nombre de pays; ces écarts ne semblent d'ailleurs pas le fait du hasard; ils sont souvent significatifs des particularités de la structure urbaine nationale.

Or, qu'observe-t-on en France? Paris se trouve très nettement au-dessus de la droite tandis que les autres grandes villes de province se trouvent assez nettement au-dessous (fig. 11). *La capitale semble anormalement grosse tandis qu'une dizaine de grandes villes semblent anormalement petites.* Ensuite, la distribution est à peu près conforme à la règle; on notera toutefois que les villes assez grandes ou

---

1. Sur ce sujet, on peut consulter PUMAIN (D.), *La Dynamique des villes*, Paris, Economica, 1982, 231 p.

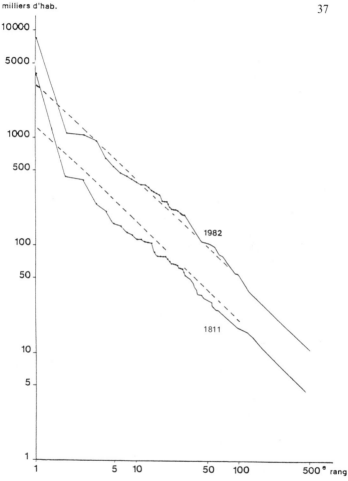

Fig. 11. — Relation entre le rang et la taille des agglomérations françaises

Source : Recensements.

moyennes, de la 10ᵉ à la 100ᵉ environ, sont au-dessus de la droite, ce qui indique un surnombre relatif des agglomérations de cette catégorie.

La faiblesse relative des grandes villes de province paraît donc liée à la fois au gigantisme de la capitale et au nombre élevé de villes moyennes; à leur tour, ces deux traits paraissent étroitement en rapport avec les particularités passées du système politico-administratif français. Cette faiblesse des grandes villes provinciales n'est apparue que peu à peu dans le courant du XIXᵉ siècle, comme le montrent les analyses faites à partir des résultats des divers recensements. Au début du siècle dernier par exemple, il n'y avait pas d'anomalies pour ces villes, sauf pour la seconde — Marseille à l'époque — qui apparaissait comme relativement sous-peuplée; à la même date, Paris avait déjà beaucoup d'habitants car l'hypertrophie parisienne est antérieure à la Révolution.

L'extrême centralisation de l'État français dans le passé, qui explique les anomalies de l'encadrement urbain, est liée à la formation de la nation elle-même en lutte contre les périls extérieurs ou les féodalités intérieures depuis le Moyen Age. Devenue très forte à partir du XVIIᵉ siècle, elle a encore été renforcée par les Jacobins et surtout par Napoléon. La concentration du pouvoir de décision était extraordinairement poussée dans le domaine politique, même pour des questions mineures, et elle avait fini par gagner tous les autres domaines. Cette structure politique a contribué à hypertrophier la capitale en gonflant exagérément les services centraux et en attirant quantité d'activités qui, normalement, auraient pu ou auraient dû prendre place dans d'autres villes. Très tôt, Paris a pris un poids très important dans la vie française et ce poids est devenu considérable au cours des XIXᵉ et XXᵉ siècles.

La réorganisation administrative entreprise lors de la Révolution a également eu des effets très importants sur l'organisation de l'espace français. La petitesse de l'unité principale de commandement qu'est le département complète et renforce l'omnipotence de la capitale. Jusqu'à une date récente, le département n'a été qu'un simple échelon d'exécution et de transmission des volontés du pouvoir central. Son dessin n'en a pas changé, ou presque, depuis 1790. Sa taille plutôt réduite et son gabarit assez uniforme s'expliquent par le souci de ses promoteurs de permettre une bonne surveillance du territoire : il a été conçu pour que la gendarmerie puisse gagner à cheval n'importe quel point, dans la journée, à partir du chef-lieu. Quoi qu'il en soit, il a fixé certaines habitudes. Presque partout, la ville-préfecture a été et continue d'être un pôle pour les habitants du département en raison des services variés qu'elle fournit et des réseaux de transport qui ont été mis en place; c'est une petite capitale où on se rend plus ou moins fréquemment. Le département a même suscité dans les esprits un très net sentiment d'appartenance : on se dit «de l'Allier» mais pas du Bourbonnais, on se déclare «du Vaucluse» mais jamais du Comtat Venaissin. Il n'est pas étonnant qu'un géographe ait pu considérer que la France avait 95 régions[1]. Paradoxe bien sûr, mais qui comporte indiscutablement une part de vérité. En tout cas, cette organisation en petites unités administratives diffère de celle de la plupart des pays voisins. En France, la départementalisation a affaibli les anciennes capitales régionales et engendré *de nombreuses villes moyennes.*

Comme dans les autres pays économiquement avancés, les agglomérations urbaines françaises ont donc pris une place considérable comme foyers de populations et d'activités, mais l'histoire a donné quelques traits particuliers à leur échelonnement. Taille anormalement grande de la capitale, faiblesse relative des grandes villes de province, nombre élevé de cités moyennes..., ces caractères ne peuvent manquer de peser lourdement sur l'organisation spatiale de la France.

---

1. KAYSER (B. et J. L.), *95 régions,* Paris, éd. du Seuil (Coll. «Société»), 1971, 144 p.

LECTURES

Barrère (P.) et Cassou-Mounat (M.), *Les Villes françaises*, Paris, Masson, 1980, 249 p.

Duby (G.), *Histoire de la France urbaine*, t. 4 : La ville à l'âge industriel — t. 5 : La ville aujourd'hui, Paris, Seuil, 1984.

Labasse (J.), « L'urbanisation en France », *Géogr. Polon.*, 1978, 39, p. 65-74.

Lefebvre (M.), « La répartition géographique de la population », in *La population française de A à Z, Cahiers Franç.*, 1985, n° 219, p. 6-13.

Pinchemel (Ph.), *La France*, Paris, Colin, t. 2, 1981, 415 p.

Pumain (D.), *La Dynamique des villes*, Paris, Economica, 1982, 231 p.

Pumain (D.) et Saint-Julien (Th.), *Les Dimensions du changement urbain*, Paris, éd. du C.N.R.S., 1978, 202 p.

Pumain (D.) et Saint-Julien (Th.), *Atlas des villes de France,* Paris, Reclus-La Doc. Franç., 1989, 175 p.

Villes et campagnes, Paris, I.N.S.E.E. (série contours et caractères), 1988, 180 p.

CHAPITRE 3

LES POINTS FORTS
DE L'ESPACE FRANÇAIS

Si les grandes villes de la province française paraissent relativement faibles en comparaison des métropoles anglaises ou allemandes, elles n'en constituent pas moins des pôles puissants jouant
un rôle majeur dans l'activité économique ou dans l'organisation
de l'espace.

L'importance de leur rayonnement est loin d'être en rapport avec
le nombre de leurs habitants. Par exemple, Toulon et Strasbourg
ont à peu près le même poids démographique, mais le rôle régional
de ces deux agglomérations est fort dissemblable. Lens a beau avoir
plus de 300 000 habitants, son influence régionale est négligeable.

Il convient donc de bien reconnaître les véritables points forts de
l'espace.

Quelles villes sont des métropoles régionales — ou peuvent être
considérées comme telles? Lesquelles, à défaut de ce label, peuvent
prétendre au titre de centres régionaux? Lesquelles, sans faire partie
des unes ou des autres, exercent cependant une influence notable
sur l'espace environnant?

Pour répondre à ces interrogations, il faut préciser les divers
niveaux des villes et la localisation des fonctions tertiaires supérieures.

Les divers niveaux des villes

— Une hiérarchie complexe —

L'existence de niveaux différents parmi les villes françaises est un fait perçu par tout un chacun.

Quand on passe de la petite à la grande ville, la différence n'est pas seulement quantitative, elle est aussi qualitative. Pour les équipements scolaires par exemple, elle est aisément perceptible : le bourg est pourvu d'un collège d'enseignement secondaire, la petite ville a généralement un lycée, la grande ville peut avoir plusieurs lycées, des écoles spécialisées et parfois une université. Elle se perçoit clairement aussi pour l'équipement commercial : la petite ville a un nombre réduit de commerces et n'offre qu'un choix limité de produits relativement courants; la ville moyenne présente déjà un bon assortiment de produits courants et moins courants; la ville importante, avec ses grands magasins et ses boutiques de toutes sortes, offre un éventail très large de marchandises, y compris des articles rares. Et ainsi de suite pour les diverses fonctions. Il y a une véritable *hiérarchie des centres urbains.* Ce terme n'implique pas nécessairement des relations de subordination d'un niveau à l'autre; celles-ci existent parfois, dans le domaine administratif ou économique, mais c'est loin d'être toujours le cas; le plus souvent, il y a exercice des mêmes fonctions à divers niveaux.

Cette perception de la hiérarchie des centres a été à l'origine de tout un courant de recherches dont les théoriciens les plus connus ont été des Allemands, le géographe W. Christaller et l'économiste A. Lösch. Le premier, en particulier, a élaboré la théorie des places centrales au début des années 30[1]. Il a montré que la fonction

---

1. Les ouvrages de Christaller et de Lösch n'ont pas été traduits en français, mais on trouve un exposé très clair de la théorie et de ses

fondamentale d'un centre urbain est de fournir les biens et les services dont la population a besoin sur une certaine partie de l'espace; pour des raisons d'économie, ces fonctions tertiaires se concentrent dans des « lieux centraux » ou « places centrales ». Les villes ont donc une importance variable selon le niveau des biens et des services qu'elles offrent : plus une ville fournit de biens et de services et plus ceux-ci sont de niveau élevé, plus son rang est élevé dans la hiérarchie. Plus on monte dans la hiérarchie, moins les villes sont nombreuses, puisqu'elles servent de places centrales à une population plus importante, plus elles sont grosses et espacées. Christaller et Lösch ont également élaboré des trames régulières, à base hexagonale, pour rendre compte de la distribution des centres selon leur niveau.

Cette théorie a suscité maintes études qui ont critiqué sa simplicité géométrique mais qui, pour l'essentiel, ont confirmé sa validité. Certes, elle n'explique pas tout, mais elle permet de comprendre la relative régularité de la localisation des centres, leurs différences de niveau et la polarisation plus ou moins forte qu'ils exercent sur l'espace environnant. Nous le vérifierons en analysant la hiérarchie urbaine française et en nous plaçant successivement à deux échelles différentes : à celle d'une région et à celle du pays tout entier.

La hiérarchie des centres à l'échelle d'une région

Étudions tout d'abord la distribution et le niveau des centres urbains de la Basse-Normandie. Cette partie de la France se prête bien à ce genre d'analyse : elle est peu industrialisée et modérément

---

développements dans : CLAVAL (P.), « La théorie des lieux centraux », *Rev. Géogr. de l'Est,* Nancy, 1966, n⁰ˢ 1-2, p. 131-152.

urbanisée; le réseau urbain y est relativement simple; et de plus, les villes de la région ont fait l'objet d'études approfondies[1].

Si le réseau urbain est plus simple que dans diverses autres parties de la France, il n'en comporte pas moins une gamme étendue d'agglomérations depuis le niveau le plus élémentaire jusqu'à la ville de Caen qui peut être considérée comme un centre régional; sa place est plutôt modeste parmi les agglomérations françaises (191 000 h. en 1990, 32e rang), mais son rayonnement est assez étendu puisqu'il couvre la plus grande partie des trois départements de la région.

L'étude des villes bas-normandes permet de faire des observations qui ont une portée générale pour la compréhension de l'espace français.

Le premier trait qui frappe l'observateur est la régularité de la distribution spatiale des centres (fig. 12).

Tout se passe comme s'ils étaient disposés au mieux pour desservir la population. Ils sont répartis sur l'ensemble de l'espace. Nulle part, il n'y a de « trou » dans la distribution. La distance qui les sépare est partout du même ordre de grandeur.

Il n'y a rien de surprenant à cela. Les villes sont ici, très directement, les héritières des marchés ruraux de naguère. C'est ce qui explique la régularité de la trame. Les marchés étaient disposés de façon à être accessibles à pied en un temps raisonnable : de fait, on constate que les points qui en sont les plus éloignés se trouvent en moyenne à 7 km.

---

1. *Atlas de Normandie,* planches G 1 (commerce de gros), G 2 (commerce de détail) et G 11 (aires d'attraction urbaine); DIONNET (M. C.) et FRÉMONT (A.), « Les zones d'influence des villes du Calvados », *Et. Norm.,* 1962, p. 1-12; GELÉE (G.), *Les Zones d'influence des villes de Basse-Normandie* (suppl. au n° 9 de Conjonct. en Basse-Normandie), Caen, 1964, 87 p.; MULLER (J. J.), « Équipements tertiaires et centres de Basse-Normandie, *Norois,* janv.-mars 1971, p. 69-85; SELLIER (J.), *Aspects du rôle régional : l'exemple de Caen* (thèse 3e cycle, Paris, 1969, 2 vol. dactyl.).

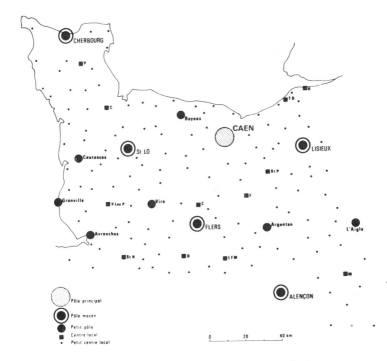

**Fig. 12. — Localisation des centres urbains
de Basse-Normandie selon leur niveau**

[D'après l'*Atlas de Normandie,* G. Gelée 1964 et J. J. Muller 1971.]

Aujourd'hui, ces anciens lieux centraux sont devenus plus ou moins importants. Les petits marchés d'autrefois ont été remplacés, au fil des siècles, par un réseau hiérarchisé de bourgades, de bourgs et de villes.

L'analyse des commerces et des services montre en effet des niveaux très différents dans les équipements offerts par les diverses localités. Quand on monte d'un échelon dans la hiérarchie, on retrouve les mêmes activités, plus étoffées, mais on trouve surtout des activités nouvelles, plus complexes et plus spécialisées.

Cinq niveaux différents peuvent être ainsi distingués :

1. *Les petits centres locaux* sont les plus modestes et, bien sûr, les plus nombreux. Parmi eux, citons par exemple Pont-l'Évêque et Livarot au voisinage de Lisieux. Le plus souvent, ce ne sont que de simples bourgades. Outre les activités commerciales les plus banales destinées à répondre aux besoins les plus courants des particuliers, on y rencontre tout de même quelques commerces et services couvrant déjà des besoins moins fréquents : médecin, vétérinaire, notaire, marchands de tissus ou de vêtements, vendeurs de chaussures ou de petit outillage...

2. Dans *les centres locaux* comme Domfront ou Valognes, l'équipement est un peu plus riche et plus diversifié. Parmi les commerces de détail, on observe les marchands de meubles, d'appareils ménagers ou de livres; on rencontre également quelques demi-grossistes ou grossistes en produits alimentaires; parmi les services, peuvent figurer un collège d'enseignement secondaire, un petit hôpital, le dentiste ou l'agent immobilier.

3. Dans *les petits pôles* comme Granville, Coutances, Vire, Argentan ou Bayeux, le niveau est encore un peu plus élevé. Le commerce de détail est plus étoffé; grossistes et demi-grossistes sont plus nombreux et distribuent des produits moins courants destinés non seulement aux particuliers, mais aussi aux entreprises (textiles, métaux); le magasin populaire apparaît, de même que les agences bancaires ouvertes toute la semaine et les concessionnaires en automobiles ou en machines agricoles. Les services sont plus nombreux et de niveau plus élevé : on voit apparaître le lycée, l'hôpital, la clinique et quelques services publics.

4. Dans *les pôles moyens* — ou qu'on peut qualifier de « moyens » en Basse-Normandie, certains étant plutôt petits à l'échelle de la France —, on monte encore dans le niveau des biens ou des services offerts. A Saint-Lô, Flers, Alençon, Lisieux, ou Cherbourg, les commerçants sont nombreux; quelques produits de demi-luxe ou

même de luxe font leur apparition ; les grossistes sont plus spécialisés ; les principales banques ou sociétés d'assurances y ont des agences assez importantes. Les équipements en matière administrative, scolaire ou sanitaire sont plus fournis et de meilleur niveau. Des journaux locaux y sont parfois édités.

5. A *Caen*, pôle principal de la Basse-Normandie, on s'élève encore dans l'échelle des équipements. Ici, il n'y a pas moins de 1/6 de tous les commerces et services recensés dans les trois départements de la région. Dans le domaine commercial, on note en particulier le marché de gros qui se tient quotidiennement, les sièges régionaux des banques, des grossistes en produits spécialisés et divers commerces rares. Dans le domaine des services, on peut noter de nombreux établissements publics à compétence régionale, qu'il s'agisse de l'administration proprement dite, de la justice, de l'éducation, des postes ou de la sécurité sociale ; l'université figure évidemment en bonne place parmi eux.

Il y a *une relative régularité dans la distribution spatiale des centres en fonction de leur niveau*, particulièrement dans la zone où l'influence de Caen est la plus forte, c'est-à-dire dans un rayon de 50-60 km autour de la ville (fig. 13).

Aux abords de la ville et jusqu'à une vingtaine de kilomètres, on rencontre seulement des bourgades ou des bourgs de petite taille, offrant des équipements limités. Les déplacements vers Caen sont fréquents. Une enquête sur la consommation effectuée au début des années 60 a montré que, dans cette zone péri-urbaine, les 2/3 de l'ensemble des achats étaient effectués à Caen. Avec le développement de la motorisation des ménages, la proportion est sans doute plus élevée encore aujourd'hui.

A 25 km de la ville apparaissent de petites agglomérations ayant des équipements un peu plus fournis et pouvant être qualifiés de bourgs. A cette distance, un peu moins de la moitié des achats étaient effectués à Caen vers 1960, mais il est bien possible que cette proportion ait augmenté depuis lors.

Au-delà, entre 30 et 50 km, on monte dans la hiérarchie ; on voit apparaître des centres locaux, puis de petits pôles comme Vire,

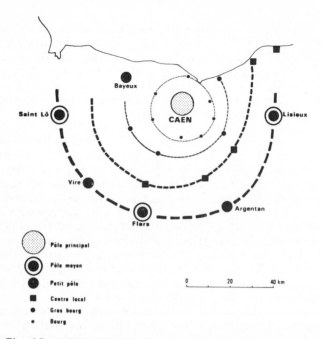

Fig. 13. — Distribution des centres de divers niveaux autour de Caen en fonction de leur éloignement de la ville

Falaise ou Argentan. Dans cette couronne plus éloignée, le cinquième ou le dixième des achats se faisait à Caen vers 1960. Trois pôles moyens — Saint-Lô, Flers et Lisieux — sont situés à 50 km environ de la capitale régionale; ils sont eux-mêmes entourés de centres locaux ou de bourgs de taille variée.

Ainsi, les centres bas-normands ne sont pas distribués au hasard comme on pourrait le croire à première vue; ils sont distribués selon une logique où le facteur *distance* joue un rôle très important. Autour du pôle principal, il y a un ensemble de centres de divers niveaux à des intervalles relativement réguliers. L'ensemble constitue un réseau urbain. Au-delà du réseau centré sur Caen, on rencontre d'autres réseaux très comparables gravitant autour de Rennes au sud-ouest ou autour du Mans au sud. Vers l'est ou le nord-est, la situation est un peu plus complexe avec l'axe industriel et urbain de la Basse-Seine, mais on retrouve néanmoins un réseau autour de Rouen et un mini-réseau autour du Havre.

La localisation des centres de divers niveaux autour de Caen est assurément moins régulière que dans le schéma de Christaller. Divers facteurs ont perturbé la régularité de leur distribution. Le long de la côte, par exemple, la présence de grandes plages a favorisé l'établissement de stations balnéaires dont quelques-unes ont accédé au rang de centres locaux et sont venues s'ajouter à l'ancien semis urbain. Par ailleurs, l'histoire a conféré un rôle plus important à certaines villes : c'est plus particulièrement le cas de Bayeux malgré la proximité de la capitale régionale; la cité actuelle profite encore, dans une certaine mesure, de l'impulsion reçue au Moyen Age. Ces deux facteurs ont donc perturbé la distribution des agglomérations dans le secteur littoral. Néanmoins, on ne peut nier qu'il existe une distribution relativement régulière et ordonnée.

On notera enfin un dernier trait : la relative régularité dans la hiérarchie des centres qui peut être traduite par quelques chiffres touchant à leur nombre, à leur taille et à leur éloignement pour l'ensemble de la Basse-Normandie :

	Nombre de centres	Population moyenne (milliers d'h. 1968)	Distance maximale moyenne pour se rendre au centre (en km)
Pôle principal	1	152,3	75
Pôle moyen	5	38,6	32
Petit pôle	7	15,1	20
Centre local	12	6,4	14
Gros bourg	35	2,5	9
Bourg	102	1,2	5,5

Ce tableau est très comparable à celui que Christaller a établi pour l'Allemagne du sud. On constate une certaine régularité dans le passage d'un niveau à l'autre, surtout pour les niveaux inférieurs. On passe de 102 à 35 en allant du niveau des bourgs à celui des gros bourgs (soit trois fois moins), puis de 35 à 12 du niveau des gros bourgs à celui des centres locaux (soit encore trois fois moins). La régularité est moindre au sommet, mais, si on considérait la seule zone d'influence de Caen et non l'ensemble de la Basse-Normandie, il n'y aurait pas cinq pôles moyens mais trois; autrement dit, la progression moyenne n'est pas très éloignée de celle indiquée par Christaller. Pour la population, on constate aussi une relative régularité : la progression n'est pas de raison 3 du niveau inférieur au niveau suivant, elle est ici de 2,8 en moyenne. Pour la distance maximale moyenne à parcourir pour se rendre à un centre, la progression est de $\sqrt{2,8}$ du niveau inférieur au niveau supérieur au lieu de $\sqrt{3}$ dans le schéma théorique. Pour Christaller, des progressions voisines de 3 d'un niveau à l'autre indiquent la primauté du fait commercial. C'est bien ce qui semble régler ici la disposition et la taille des villes dans cette partie de la France.

Les observations qui précèdent ne sont pas propres à la Basse-Normandie. On aurait pu faire les mêmes autour de Toulouse ou de Bordeaux, de Lille ou de Strasbourg. La situation est seulement plus compliquée lorsque des villes minières ou industrielles sont venues s'ajouter au réseau pré-industriel des places centrales. Dans le Nord par exemple, le réseau a été largement étoffé dans le bassin houiller, mais les anciens centres de commerce et de services ont grossi; ils occupent toujours les premiers rangs dans la hiérarchie des centres, qu'ils aient beaucoup profité ou non de l'industrialisation; en revanche, les villes minières se placent à des rangs très modestes.

Les enquêtes faites dans diverses parties de la France sur l'influence commerciale des centres révèlent une *hiérarchie relativement régulière et des progressions relativement uniformes*. Plus on monte dans la hiérarchie, moins les centres sont nombreux, plus la population augmente, plus la taille de l'aire d'influence s'accroît, enfin plus les équipements tertiaires sont importants et complexes. Les villes ne sont pas distribuées au hasard sur l'espace français; elles sont bien distribuées selon un ordre, selon une logique.

La hiérarchie des centres à l'échelle de la France entière

Changeons maintenant d'échelle et examinons la hiérarchie des centres dans l'ensemble de la France.

Plusieurs chercheurs ont essayé d'établir un classement. E. Valette, par exemple, a classé les 42 villes les plus importantes en 1962 en utilisant 13 critères relatifs à l'activité économique, au niveau des équipements et à l'influence extérieure[1]; parmi eux, ceux qui se rapportent au secteur tertiaire sont les plus nombreux. L'auteur a attribué des notes aux divers critères pour pouvoir établir son classement. L'étude est cependant difficile à utiliser; outre le fait qu'elle porte sur une documentation déjà ancienne et sur un nombre relativement limité d'agglomérations, le graphe de classement est touffu, des incertitudes subsistent quant au niveau de certaines villes, enfin certains résultats sont surprenants; Limoges, par exemple, est au même niveau que Dijon ou Clermont-Ferrand, ce qui est discutable; de même Besançon et Montpellier; Nice se trouve curieusement au voisinage de Valenciennes.

Aussi faut-il chercher un indice permettant de repérer de façon plus satisfaisante le niveau d'un centre. Nous avons utilisé pour cela l'effectif de la population active spécifique employée dans le commerce et les services privés. Pourquoi le commerce et les services privés? Parce que dans une économie semi-libérale comme celle de la France, ces deux secteurs permettent d'évaluer l'influence régionale mieux que tous les autres; bien mieux, en particulier, que les services publics. Pourquoi la population active spécifique? Parce

---

1. VALETTE (E.), *Essai de classement hiérarchique des principales villes*, Paris, C.R.E.D.O.C., 1963.

que c'est justement la population qui contribue au rayonnement de la ville par opposition à celle dont l'activité satisfait les seuls besoins locaux; les activités spécifiques ou motrices d'une ville s'opposent aux activités banales ou entraînées[1]. L'indice ainsi obtenu peut donc être considéré comme un indice de centralité ou de rayonnement. Pour l'étude, toutes les agglomérations ayant au moins 600 personnes employées dans la population active spécifique du commerce et des services privés en 1968 ont été retenues, soit 249 au total. Des corrections ont été faites pour quelques centres où les activités tertiaires sont gonflées par une importante clientèle extra-régionale, spécialement dans les villes qui vivent du tourisme. Les niveaux inférieurs de la hiérarchie — bourgs, gros bourgs et centres locaux — ne figurent évidemment pas ici.

Les agglomérations ont été classées en six groupes (fig. 14).

— Dans les groupes situés vers le bas de l'échelle, on retrouve une partie des centres déjà analysés à propos de la Basse-Normandie : ainsi, Vire et Argentan apparaissent ici comme de *petits centres* (niveau VI), Cherbourg apparaît comme un *centre moyen* (niveau V), Caen se place désormais dans la catégorie des *pôles assez grands* (niveau IV).

— Au-dessus, on trouve la catégorie des *grands pôles* (niveau III) qui est assez diversifiée. Des agglomérations assez inégales par leur taille — comme Rennes, Nantes, Grenoble, Strasbourg, Toulouse et Bordeaux — y figurent; mais toutes ont des activités tertiaires importantes et à large rayonnement.

— Plus haut encore sont les *très grands pôles* (niveau II) : Lyon, Marseille et Lille se différencient nettement des agglomérations précédentes par l'importance de leurs activités tertiaires spécifiques.

— Au sommet de cette hiérarchie de lieux centraux, on trouve évidemment *Paris* avec une position fortement dominante : le nombre d'actifs spécifiques pour le commerce et les services privés y est treize fois supérieur à celui des pôles de second niveau.

---

1. NOIN (D.), « Les activités spécifiques des villes françaises », *Annales de Géographie,* sept.-oct. 1974, n° 459, p. 531-544.

Dans la mesure où les agglomérations représentées sur la carte constituent seulement les groupes moyens et supérieurs de la hiérarchie urbaine, on peut évidemment s'attendre à ce que la distribution spatiale des centres selon leur niveau soit nettement moins régulière qu'en Basse-Normandie. On retrouve pourtant, à une autre échelle et avec plus de complexité, bien des traits déjà notés autour de Caen :

D'un niveau à l'autre, il y a *une certaine régularité dans le nombre et la taille des centres.*

Certes, une anomalie vient la rompre : c'est l'écart important existant entre Paris et les villes qui viennent ensuite. Néanmoins, la progression est relativement régulière.

Niveau des centres	Nombre de centres	Population moyenne 1968 (en milliers)	Population active spécifique du commerce et des services privés 1968 (en milliers)
I. Capitale	1	8 196	855
II. Très grand pôle	3	973	65
III. Grand pôle	9	362	24
IV. Assez grand pôle	24	177	11
V. Centre moyen	54	78	4,9
VI. Petit centre	158	25	1,7

C'est ainsi qu'il y a trois centres de niveau II, neuf centres de niveau III et vingt-quatre centres de niveau V. C'est ainsi que le nombre d'actifs spécifiques travaillant dans le commerce et les services privés est de 1 700 pour les petits centres, 4 900 pour les centres moyens, 11 000 pour les pôles assez grands, 24 000 pour les grands pôles et 65 000 pour les très grands pôles : ce n'est pas une progression de raison 3 comme dans le schéma de W. Christaller, mais c'est une progression relativement régulière tout de même.

Fig. 14. – Hiérarchie des centres urbains français

Niveau des centres d'après l'effectif de la population active spécifique employée dans le commerce et les services privés en 1968 (en milliers) :

1. Capitale (855).
2. Très grand pôle (50 à 99,9).
3. Grand pôle (15 à 49,9).
4. Assez grand pôle (7 à 14,9).
5. Centre moyen (3 à 6,9).
6. Petit centre (0,6 à 2,9).

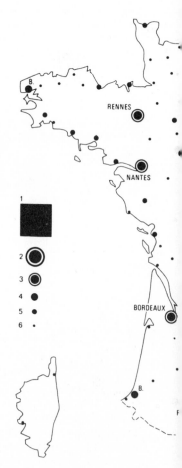

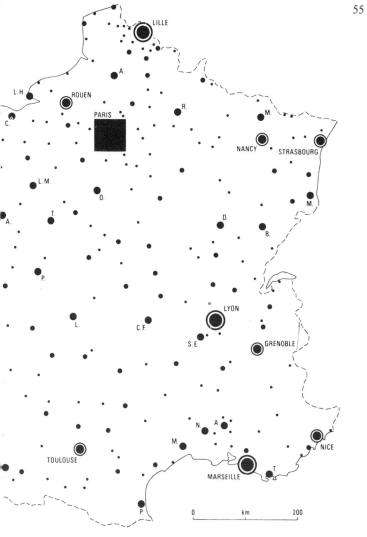

LILLE

A.

L.H.

ROUEN

C.

PARIS

R.

M.

NANCY

STRASBOURG

L.M.

O.

M.

A.

T.

D.

B.

P.

L.

C.F.

LYON

S.E.

GRENOBLE

N.

A

M

TOULOUSE

MARSEILLE

T.

NICE

P.

0   km   200

On peut également noter *une certaine logique dans la distribution spatiale des centres de divers niveaux.*

Ce qui a été observé autour de Caen se retrouve autour de la capitale, mais à une échelle différente et avec une complexité plus grande. C'est ainsi qu'on observe seulement de petits centres tout autour de Paris et ceci jusqu'à une distance de 70-100 km : Melun, Fontainebleau, Provins, Coulommiers, Meaux, Compiègne, Beauvais, Pontoise, Mantes, Étampes; ces centres ont une population active spécifique généralement supérieure à mille personnes dans les branches du commerce et des services privés : nombre suffisant pour qu'ils offrent à la population du voisinage l'essentiel des équipements dont elle a besoin, mais la proximité de Paris y plafonne les activités à un niveau modeste. Plus on s'éloigne, plus ce plafond s'élève; mais on peut observer qu'il n'existe aucun grand centre dans un rayon de 200-250 km autour de Paris, hormis les agglomérations de Rouen et du Havre qui constituent des cas particuliers : ce sont les avant-postes de la capitale en direction de la mer; ils doivent une partie de leurs activités à Paris, en particulier de leurs activités de transport; mais leurs équipements tertiaires, à cause de la proximité relative de l'agglomération parisienne, ne sont pas en rapport avec l'importance de leur population. Il résulte de ce phénomène de « plafonnement » qu'un très vaste espace couvrant le quart ou le tiers de la France se trouve dépourvu de grands pôles précisément parce qu'il existe un pôle gigantesque : cet espace correspond grossièrement au Bassin Parisien. Par voie de conséquence, tous les centres de niveau II ou III sont donc périphériques à l'intérieur du territoire national.

Bien entendu, cette disposition des lieux centraux notée autour de Paris ou autour de Caen se retrouve à des échelles intermédiaires pour les grands ou très grands pôles. Par exemple autour de Lille, les villes sont relativement nombreuses en raison de l'exceptionnelle densité de la population et des activités, mais rares sont celles qui exercent une fonction centrale un peu importante; il faut aller jusqu'à 40, 50 ou 60 km pour trouver des centres moyens comme Dunkerque, Arras ou Valenciennes. Il en est de même autour de Lyon : il n'y a que de petits centres à l'exception de Saint-Étienne dont l'essor est dû au charbon et à l'industrie, mais dont les fonctions de pôle sont nettement réduites par la proximité de Lyon. On pourrait faire des remarques similaires à propos de Marseille, de Toulouse ou de Bordeaux.

On notera également que la génération des centres miniers ou industriels apparaît fort peu sur la carte, exception faite de centres importants exerçant des fonctions variées. Ce sont les anciennes villes-marchés de l'époque pré-industrielle qui constituent les éléments essentiels de la hiérarchie urbaine. Le fait est particulièrement frappant dans le Nord ou en Lorraine. Dans la région du Nord par exemple, des agglomérations aussi peuplées que Bruay-en-Artois, Lens, Douai ou Denain sont très mal classées comme centres : on ne les trouve que dans le niveau VI. En Lorraine, la grosse agglomération d'Hagondange-Briey ne figure même pas dans cette catégorie tant sont réduites ses fonctions centrales.

La localisation des centres dans l'ensemble de la France est donc loin d'avoir la relative régularité observée en Basse-Normandie. Elle est plus loin encore d'avoir la simplicité des distributions géométriques de Christaller ou de Lösch, mais elle est ordonnée malgré tout. La localisation et la taille des centres ne sont donc pas fortuites, mais logiques; elles ne sont pas dues au hasard; elles indiquent une certaine organisation.

La localisation des fonctions tertiaires supérieures

— Une forte concentration —

L'indice utilisé pour la carte des centres qui vient d'être commentée fournit une évaluation de l'importance des activités de commerce et de services contribuant au rayonnement des agglomérations principales, mais il n'indique pas avec précision le niveau de ces activités.

Sans doute admettra-t-on que le niveau des activités est lié à leur volume et que leur qualité est d'abord fonction de leur quantité. C'est en effet ce qu'on peut généralement constater. Mais à partir de quel niveau apparaissent les fonctions tertiaires supérieures? Ce point reste à préciser.

Il faut d'abord spécifier ce qu'on entend par « tertiaire supérieur ». La définition varie selon les auteurs. On parle parfois de « quaternaire »; ce n'est guère justifié d'ailleurs puisque la distinction porte sur le niveau des activités à l'intérieur du secteur tertiaire. De plus en plus, on désigne sous le vocable de « tertiaire supérieur » De plus en plus, on désigne sous le vocable de « tertiaire supérieur » les activités de direction, d'organisation, de décision ou — si on préfère les néologismes — les activités directionnelles, décisionnelles, transactionnelles [1]. Ce sont les activités qui contribuent à organiser et à diriger les processus de production et de distribution aussi bien que la vie politique et sociale sur de vastes espaces, c'est-à-dire celle des administrations publiques et privées, des établissements financiers, des cabinets spécialisés en conseils (bureaux d'études, conseil juridique, expertise comptable, organisation du travail...), des établissements d'enseignement supérieur et de recherche, des organismes chargés de la diffusion des informations (presse, radio, télécommunications, publicité). Toutes ces activités s'exercent dans des bureaux qui ont tendance à se rassembler dans les mêmes villes et, à l'intérieur de ces villes, dans des lieux privilégiés. Toutes font largement appel aujourd'hui à l'informatique pour traiter leurs informations ou résoudre leurs problèmes. Toutes demandent un personnel spécialisé de haute qualification.

Mais comment mesurer l'importance de ces activités tertiaires de niveau supérieur? Dans la documentation statistique, on ne trouve

---

1. GOTTMANN (J.), « Pour une géographie des centres transactionnels », *Bull. Ass. Géogr. Fr.,* janv.-févr. 1971, n° 385-386, p. 41-49; LABASSE (J.) et ROCHEFORT (M.), « Équipements tertiaires supérieurs et réseau urbain », *Econ. et Hum.,* mars-avril 1965, n° 159, p. 54-61; LABASSE (J.), « Sièges sociaux et villes dominantes », *Trav. Inst. Géogr. Reims,* 1980, 43-44, p. 3-14.

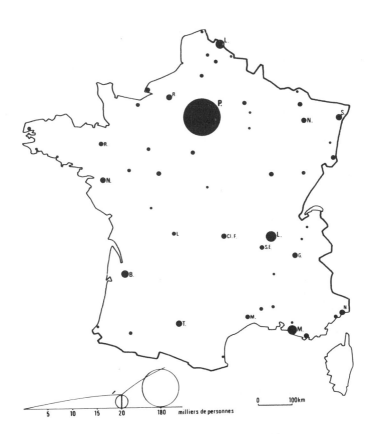

Fig. 15. — **Principales concentrations
de cadres administratifs supérieurs**

Paris : 39 % du total
[RGP 1975].

aucun indice permettant une évaluation. Pour le moment, il faut se contenter, si l'on veut en avoir une idée correcte, de mettre diverses informations bout à bout.

La gestion administrative doit être considérée d'abord. Administrations publiques et privées forment un élément important du tertiaire supérieur; elles ont très nettement un caractère directionnel.

Dans ce domaine, le rôle de Paris est particulièrement écrasant. On s'en rend compte en considérant par exemple le nombre des cadres administratifs supérieurs (fig. 15). La carte montre l'importance du foyer parisien : 190 000 cadres en 1975, soit les 2/5 du total de la France. Les grandes villes de province viennent loin derrière : les trois agglomérations de Lyon, Marseille et Lille se détachent assez bien des suivantes; elles ont de 10 000 à 15 000 cadres; mais le chiffre de Lyon est douze fois inférieur à celui de Paris. Viennent ensuite Bordeaux, Strasbourg et Toulouse avec 5 000 à 7 000 cadres. Les sept premières villes concentrent à elles seules plus de la moitié des cadres supérieurs de l'administration française. On trouve ensuite dix-huit villes avec un rôle moins important et de 2 000 à 4 000 cadres chacune.

On aurait assurément une meilleure vue de la concentration du pouvoir politique si l'on examinait non pas l'ensemble des cadres administratifs supérieurs — car la plupart d'entre eux ne participent aucunement à l'élaboration des décisions — mais seulement les cadres de haut niveau. Malheureusement, l'information sur ce sujet est difficile à collecter. Le rôle anormalement dominant de Paris apparaîtrait mieux. En province, une quinzaine de villes ayant d'importants services à compétence pluri-départementale se manifesteraient comme de petits centres de décision, bien que cette étiquette ne puisse être utilisée qu'avec précaution dans un pays comme la France où presque toutes les décisions importantes viennent de Paris.

La direction de l'économie est un autre élément à considérer, plus important encore.

La distribution spatiale des sièges sociaux des grandes entreprises est très caractéristique à ce point de vue. Si on analyse la localisation des sièges des 500 firmes les plus importantes, on constate une très forte concentration à Paris (fig. 16). Les vingt plus grandes y ont leur siège, ce qui est déjà significatif; sur les cent premières, 92 ont un siège parisien, et sur les cinq cents premières, 382, c'est-à-dire plus des 3/4! La recherche d'un siège social dans la capitale est extrêmement nette pour les grandes affaires françaises : à l'intérieur de l'agglomération, ce sont les sites les plus prestigieux qui sont les plus recherchés : les VIIIᵉ et XVIᵉ arrondissements ou le quartier de la Défense. Cette concentration est unique en Europe; elle est loin d'être aussi poussée en Grande-Bretagne en dépit du rôle très important joué par Londres; avec l'Allemagne de l'Ouest, la différence est saisissante : dans ce pays, les sièges sociaux des cent plus grosses affaires industrielles se répartissent dans 44 villes, dont la principale, Hambourg, n'abrite que douze sièges; six autres villes en ont au moins cinq (Stuttgart, Essen, Francfort, Düsseldorf, Cologne, Munich). Dans les villes françaises de province, il n'y a aucune concentration importante. Du reste, il est peu judicieux de faire un classement d'après le seul nombre de sièges sociaux; il est préférable de calculer le pouvoir de commandement des grandes villes d'après le nombre de salariés dépendant des sièges des grandes firmes. Pour les 500 firmes les plus importantes en 1973, Lyon et Lille apparaissent comme ayant les deuxième et troisième rangs dans ce domaine, mais ce ne sont que de très petits centres de décision à côté de Paris : 83 000 salariés contrôlés pour Lyon-Saint-Étienne, 44 000 pour Lille contre 2 900 000 pour la capitale! Ensuite, mais à bonne distance, on trouve les villes lorraines et alsaciennes (Metz, Nancy, Strasbourg, Mulhouse et leurs satellites), Reims, Grenoble et Clermont-Ferrand : un peu plus de 10 000 salariés pour chacune d'elles. Rien de comparable aux grandes villes allemandes par conséquent. Le fait est d'autant plus grave que l'écart entre Paris et les grandes villes de province, loin de diminuer, a eu tendance à s'accuser depuis le début des années 60. La concentration extrême du pouvoir de commandement apparaît plus forte encore à l'examen de la puissance financière ou de la «surface financière» définie comme le montant annuel des paiements effectués par les banques (fig. 17). D'après les données

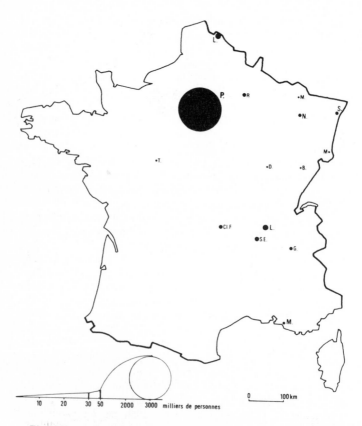

Fig. 16. — **Pouvoir de commandement économique
des grandes villes françaises**

Selon le nombre de salariés dépendant des sièges sociaux des 500 plus
grandes entreprises françaises.
Paris : 76 % du total.

[Calculs effectués à partir des informations fournies par *Les Dossiers
d'Entreprise,* novembre 1973.]

**Fig. 17. — La puissance financière
des agglomérations françaises**

Selon J. Labasse, *L'Espace financier,* 1974, p. 144.

recueillies par J. Labasse, la part de Paris ne représente pas moins de 91,3 % de la puissance financière de la France, ce qui est vraiment exceptionnel[1]; Lyon vient très loin derrière avec 0,65 % seulement, c'est-à-dire 140 fois moins; Lille et Marseille ne participent aux transactions que dans la proportion de 0,5 % environ et Bordeaux pour moins de 0,3 %; Nantes, Strasbourg et Toulouse n'ont qu'une part minime de l'ensemble, voisine de 0,2 %; viennent ensuite, dans l'ordre, Rouen, Nice, Grenoble, Nancy, Rennes, Saint-Étienne, Metz, Clermont-Ferrand et Dijon avec un peu plus de 0,1 %. La concentration de la puissance financière à Paris est donc remarquable; nulle part ailleurs dans le monde, elle n'est aussi forte parmi les pays à économie avancée, même en Angleterre où la domination londonienne est pourtant très nette au plan financier; quant à l'Allemagne, elle présente une organisation financière polycentrique qui est l'antithèse de l'organisation française.

La localisation des bureaux fournit un autre indice révélateur. La superficie totale des bureaux de chaque ville est mal connue, mais les autorisations de construire délivrées sont enregistrées avec précision. Pour la période 1968-1972, marquée par un accroissement rapide des autorisations, on note encore une très forte concentration à Paris malgré le renforcement des obstacles destinés à limiter l'extension des bureaux dans la capitale : 45 % des nouvelles surfaces (fig. 18). Viennent ensuite, mais loin derrière, les agglomérations de Lyon, Marseille et Lille. On note encore des chiffres assez forts pour Strasbourg, Metz-Nancy, Grenoble, Toulouse, Bordeaux et Nantes. Les demandes sont également nombreuses pour quelques villes proches de Paris dans le cadre d'opérations de décentralisation : notamment Orléans et Rouen.

La distribution spatiale des ordinateurs donne un autre renseignement intéressant. Certes l'informatique n'est pas seulement utilisée pour la gestion des entreprises, elle l'est aussi dans les administrations ou les universités mais la plupart des appareils en

---

1. LABASSE (J.), *L'espace financier*, 1974, Paris, A. Colin (Coll. « U »), p. 144.

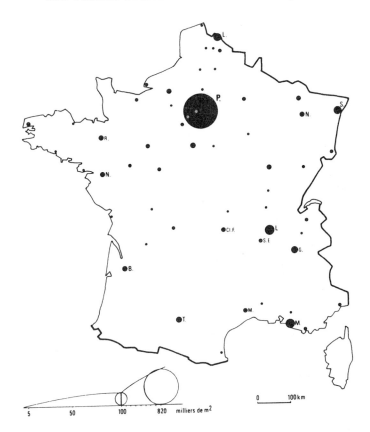

**Fig. 18. — Principales concentrations
de nouveaux bureaux**

D'après les surfaces dont la construction a été autorisée entre 1967 et
1971.
Paris : 45 % du total.

[Informations fournies par le ministère de l'Équipement.]

service (les 4/5) le sont dans le secteur privé. Quoi qu'il en soit, c'est un indice significatif pour l'étude du tertiaire supérieur. La concentration parisienne est très forte (fig. 19) : environ la moitié du total national; et si on considère seulement les appareils de grande capacité, cette proportion dépasse les 3/4. En dehors de Paris, seule la ville de Lyon fait bonne figure. Viennent ensuite, dans l'ordre, les agglomérations de Lille, Marseille, Bordeaux, Toulouse, Strasbourg et Grenoble.

Dans le domaine économique, la prédominance de Paris est donc très forte. C'est un très gros centre de décision, qui domine très largement tous les centres provinciaux. On trouve dans la capitale les 3/4 des sièges sociaux des grandes sociétés françaises et la plupart des sièges français des affaires multinationales, probablement les 2/3 des bureaux existants et près de la moitié des nouveaux bureaux; Paris fournit les 3/5 des crédits accordés aux entreprises et les 2/3 de l'impôt sur les bénéfices des sociétés. Les villes de province font pâle figure dans ce domaine. Lyon est incontestablement à la seconde place mais son pouvoir de commandement est faible à côté de celui de Paris. Lille et Marseille viennent ensuite; il est difficile de les départager d'après les indices examinés; Lille devance tout de même Marseille pour certains indices importants. Un peu plus loin, on trouve Bordeaux, Strasbourg, Metz-Nancy, Toulouse, Grenoble et Nantes.

Les activités intellectuelles constituent une autre fonction tertiaire de niveau supérieur. Elles n'ont pas un caractère « directionnel » comme les activités précédentes, mais elles conditionnent celles-ci dans une large mesure : elles fournissent l'ambiance culturelle et les moyens de formation recherchés par les familles de cadres supérieurs.

Sur ce plan, les activités de formation sont importantes : les grandes écoles plus que les universités d'ailleurs. Les universités et les instituts universitaires de technologie se sont dans une certaine mesure banalisés depuis les années 60 avec l'augmentation du nombre des étudiants et la politique de déconcentration suivie par les responsables de l'éducation; de ce fait, ces établissements signalent moins bien que naguère les activités tertiaires supérieures.

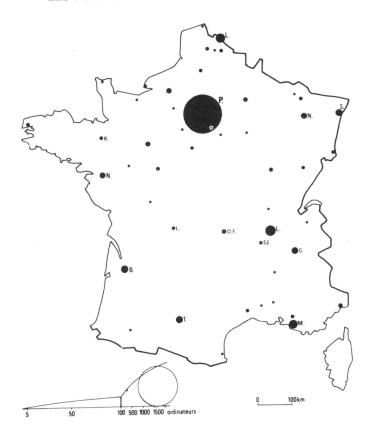

Fig. 19. — **Principales concentrations d'ordinateurs**

Paris : 50 % du total pour le nombre des appareils. Il n'a pas été tenu compte de leur puissance.

[D'après les informations fournies par l'*Ann. Gén. de l'Informatique.*]

L'enseignement universitaire est aujourd'hui dispensé dans un assez grand nombre de villes dont certaines ne brillent pas spécialement par le haut niveau de leurs fonctions tertiaires. Autrefois, Paris avait un rôle très fortement prépondérant dans ce domaine : avant la Seconde Guerre mondiale, la capitale rassemblait encore près de la moitié des étudiants ; elle en rassemble à peu près le tiers aujourd'hui. En revanche, les universités parisiennes offrent un éventail incompararable de formations et elles continuent de jouer un rôle majeur pour les niveaux les plus élevés de l'enseignement : autour de 1970, elles délivraient encore la moitié des thèses de troisième cycle.

Les grandes écoles fournissent un indice un peu plus précis, bien que leur nombre ait beaucoup augmenté en province depuis une vingtaine d'années et que certaines ne soient pas situées dans des villes importantes. La concentration parisienne reste forte (fig. 20) : en 1974-1975, un peu plus des 2/5 des élèves sont dans l'agglomération parisienne. On y trouve en particulier l'École polytechnique, les Écoles normales supérieures (à une exception près), les plus grandes écoles de commerce ou d'administration des entreprises, la plupart des écoles d'ingénieurs, les plus grandes écoles à caractère littéraire ou artistique. En province, la ville de Lyon est à la deuxième place, mais elle est suivie de près par Toulouse : cette dernière, qui bénéficie d'une brillante tradition, est un des plus gros foyers intellectuels de la province. Viennent ensuite Lille, Aix-Marseille, Rennes, Bordeaux, Strasbourg, Clermont-Ferrand, Nancy, Nantes et Grenoble. Toutes ces villes occupent une bonne place dans les activités intellectuelles, non seulement par leurs grandes écoles, mais aussi par leurs universités, leurs manifestations culturelles ou leur presse. Certaines ont vu leur position renforcée au cours des dernières années en raison du transfert d'écoles parisiennes en province : à ce point de vue, l'exemple le plus significatif est celui de Strasbourg qui a accueilli la prestigieuse École Nationale d'Administration.

La recherche scientifique joue aussi un rôle dans ce domaine. Pendant longtemps, elle a été concentrée à Paris. Elle l'est encore dans une large mesure en dépit des efforts de décentralisation : les

**Fig. 20. — Distribution spatiale des élèves
des grandes écoles**

[D'après une documentation relative à l'année 1973-74 fournie par le
ministère de l'Éducation nationale. La concentration a légèrement diminué depuis lors en raison d'opérations volontaristes de transfert en
province.]

3/5 des chercheurs y travaillaient; et même les 3/4 dans certaines branches importantes. Les conditions y sont en effet plus favorables que partout ailleurs en raison du rôle de l'État comme dispensateur de crédits, du poids des universités, de l'importance des industries, enfin des équipements rassemblés dans les laboratoires. En province, les villes pourvues de bons effectifs de chercheurs sont peu nombreuses : Lyon, Grenoble, Toulouse, Strasbourg, Aix-Marseille, Lille et Nancy-Metz; mais les effectifs sont faibles en comparaison de ceux de Paris.

Bien entendu, la plupart des personnes ayant une certaine notoriété dans le monde politique, économique, scientifique ou artistique sont concentrées dans la capitale. Parmi celles qui sont inscrites dans le *Who's who in France* par exemple, 78 % sont à Paris. Parmi les villes qui apparaissent comme des concentrations secondaires figurent Nice et Montpellier, en raison de leur bonne qualité de vie et où nombre de personnalités parisiennes sont venues prendre leur retraite. Lyon, Marseille, Bordeaux, Lille et Strasbourg viennent ensuite, plus modestement (fig. 21).

Si on fait le bilan des divers éléments qui viennent d'être brièvement analysés, une conclusion s'impose : c'est *la très forte concentration des fonctions tertiaires supérieures à Paris*, mais aussi *leur présence dans un certain nombre d'agglomérations de province*. Ces fonctions apparaissent au niveau des pôles assez grands (niveau IV sur la carte des centres), mais elles ne sont largement représentées qu'à partir des grands pôles (niveau III).

Le classement n'est pas facile à établir. Il change selon les indices utilisés. Passe encore pour les grandes agglomérations comme Lyon qui occupe presque toujours la seconde place ou comme Marseille, Lille, Bordeaux ou Toulouse qui ont toujours un rang très honorable. Il est moins clair pour les autres villes. Ce classement des agglomérations au regard des éléments susceptibles de jouer un rôle régional mériterait d'être entrepris à partir de données récentes, mais, dans la mesure où les changements sont lents dans ce domaine, on reprendra ici les résultats des recherches faites au début des années 60.

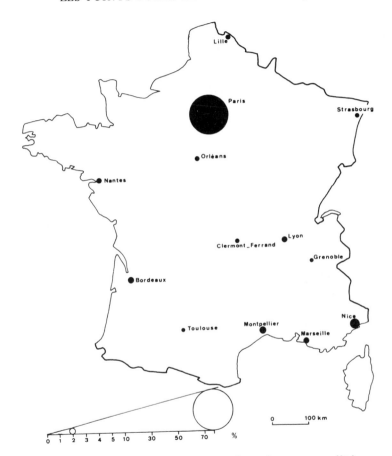

Fig. 21. — **Principales concentrations de personnalités du monde politique, économique, artistique et scientifique en France**

D'après un sondage dans le *Who's who in France* (1983-1984) — Paris : 78 % du total.

Les niveaux supérieurs de l'armature urbaine

— Un réseau logique —

Les études entreprises par J. Hautreux et M. Rochefort (1965) ont permis de préciser les niveaux supérieurs de la hiérarchie urbaine ou, selon l'expression des auteurs, de « l'armature urbaine ». Ces recherches avaient un but pratique au départ : il convenait de déterminer, parmi les villes de province ayant une certaine importance, celles qui se détachaient par la qualité et la variété des services offerts, celles qui avaient une influence étendue sur l'espace environnant, bref celles qui pouvaient devenir des métropoles régionales.

La méthode suivie, assez empirique, a consisté à examiner la situation de chaque agglomération au regard des divers critères impliquant un rôle effectif dans la régionalisation. Ces critères concernaient l'importance de la population en 1962 (population totale, population active secondaire et tertiaire), les services à l'usage des particuliers (enseignement, administrations, équipements culturels, médecins spécialistes, commerces rares), les services à l'usage des entreprises (sièges sociaux, banques, professions de conseil, grossistes, chambres de commerce...), enfin l'influence extérieure (importance de la population de la zone d'influence, caractère de carrefour). Chaque ville a reçu une note pour chacun des indices élémentaires, puis une note globale après pondération des divers indices utilisés. Des discontinuités dans l'échelle des notes ont permis de ventiler les villes de province en trois groupes disposant d'équipements tertiaires de niveau différent.

Un premier ensemble de huit villes est apparu assez clairement, celui des *métropoles régionales*. Il s'agit de grandes villes avec une vaste zone d'influence et des équipements importants qui permettent aux habitants d'éviter, dans presque tous les cas, le recours à la capitale. Dans ce groupe, les agglomérations de Lyon et de Marseille font preuve d'une nette supériorité; celle de Lille est moins bien classée malgré sa taille; la position de Bordeaux, de Toulouse et de Strasbourg est satisfaisante; Nancy et Nantes, déjà moins bien équipées, occupent les moins bonnes places de cet ensemble. L'appellation de «métropole régionale» pour ces villes est assez flatteuse, si on les compare aux centres étrangers de même niveau ou si on considère certaines lacunes dues à la concentration de nombreux équipements de niveau supérieur à Paris; quoi qu'il en soit, l'appellation est désormais consacrée par l'usage; à la longue d'ailleurs elle devient plus justifiée, car de nombreux progrès ont été accomplis depuis le lancement de la politique des métropoles d'équilibre.

Un second ensemble de dix villes vient ensuite : *les centres régionaux.* Il s'agit encore de grandes villes, mais moins importantes que les précédentes, avec une zone d'influence nettement plus réduite en étendue et des équipements moins fournis. Elles ont néanmoins un ensemble d'activités relevant du tertiaire supérieur. On y trouve une gamme quasi complète de biens et de services. Parmi ces villes, Grenoble est nettement en tête : puis vient un groupe apparemment plus homogène comprenant Rennes, Nice, Clermont-Ferrand, Rouen, Dijon, Montpellier, Saint-Étienne, Caen et Limoges.

Un troisième ensemble de 24 villes apparaît dans le classement : *les centres sous-régionaux.* C'est un ensemble plus varié, formé de villes grandes et moyennes. Les zones d'influence sont cette fois peu étendues. Les équipements sont de qualité inégale, bons sur certains points, médiocres sur d'autres; comportant parfois de sérieuses lacunes. Certaines activités relèvent du tertiaire supérieur, mais elles sont peu importantes. Aussi ces villes ont-elles un rôle régional nettement plus réduit. Parmi elles, on trouve Metz, Tours et Amiens en haut de la série; Pau, Chambéry et Toulon viennent en fin de série. Cet ensemble est assez hétérogène; il a été subdivisé en trois sous-ensembles qui introduisent des nuances, mais pas de réelles différences de niveau.

La place des agglomérations dans le classement est loin d'être toujours en accord avec l'importance de leur population. Certaines agglomérations importantes ayant 100 000, 200 000 habitants ou plus ne figurent même pas sur la liste; il s'agit, dans presque tous les cas, de villes minières ou industrielles comme Lens, Valenciennes, Douai, Béthune, Bruay, Dunkerque ou Saint-Nazaire; ces villes ont un secteur tertiaire réduit et un rayonnement faible ou très faible. D'une façon générale, les agglomérations industrielles perdent des places, quand on passe du classement numérique au classement hiérarchique : ainsi, Rouen passe du 9e au 14e rang, Le Havre du 16e au 31e; Mulhouse et Saint-Étienne reculent également. Pour les villes tertiaires ou à secteur tertiaire nettement prépondérant, c'est souvent l'inverse car elles sont bien équipées et ont de ce fait un rayonnement important : par exemple, Strasbourg passe du 12e au 7e rang, Poitiers du 62e au 33e; Rennes, Clermont-Ferrand, Dijon, Nancy, Grenoble et Montpellier gagnent aussi bon nombre de places.

Il est plus intéressant encore d'observer la localisation des centres (fig. 22).

Le trait le plus frappant est la *disposition périphérique des métropoles régionales à l'intérieur de l'espace français*. Rien de plus logique au demeurant : la présence d'une énorme capitale a freiné, loin à la ronde, la formation de centres de niveau élevé en raison de la forte concentration de fonctions tertiaires supérieures à Paris. Ce phénomène d'ombre n'est évidemment pas propre à la France; on peut le constater dans nombre de pays ayant une très grosse agglomération et notamment dans les pays voisins : en Espagne autour de Madrid et surtout en Angleterre autour de Londres; il est simplement très accusé autour de Paris en raison du caractère tout à fait exceptionnel de la capitale française, en raison aussi de la faible densité de la population; à ce point de vue, le Bassin Parisien et le Bassin de Londres sont très différents. Paris a empêché la formation de métropoles régionales dans un rayon de 200 à 300 km. Celles-ci n'apparaissent que sur le pourtour de l'espace français : parmi elles, trois sont des ports maritimes et deux sont des villes frontalières; sur les trois cités intérieures, deux occupent des positions de carrefour en des lieux éloignés de Paris. La plus proche de la capitale, Lille, n'est devenue une métropole régionale que grâce

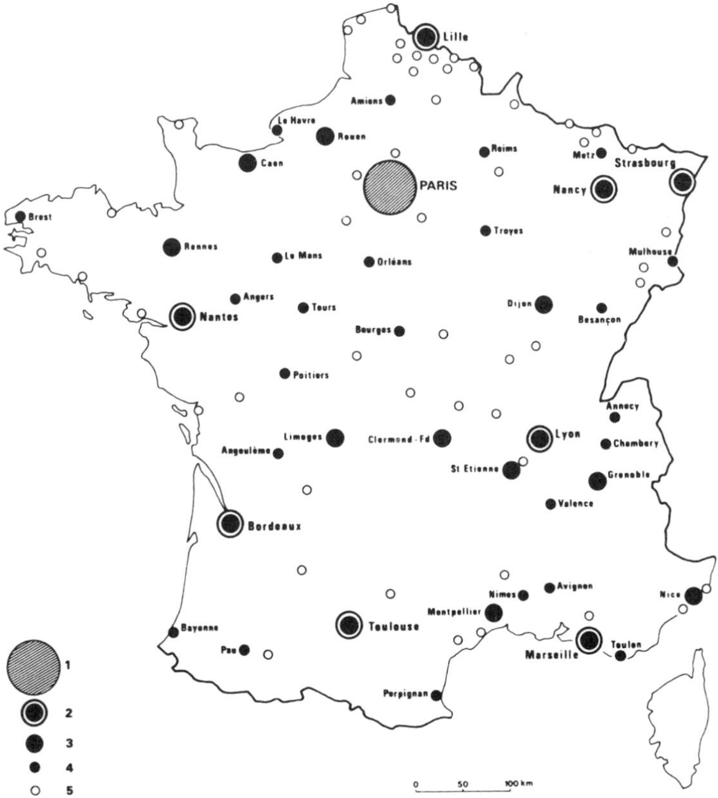

Fig. 22. — L'armature urbaine française

1. Capitale.
2. Métropole régionale.
3. Centre régional.
4. Centre sous-régional.
5. Autre agglomération importante mais sans fonction régionale.

[D'après J. Hautreux et M. Rochefort, *Annales de Géographie,* n° 406.]

au puissant développement économique de la région du Nord; encore est-elle sérieusement handicapée par la proximité relative de Paris et de la frontière franco-belge.

Les centres régionaux et sous-régionaux sont beaucoup plus diversement localisés. Ils sont assez nombreux dans le Bassin Parisien de façon à desservir la population en biens et services de niveau élevé, mais leurs équipements sont assez modestes malgré tout et leur population généralement limitée à 100 ou 200 000 habitants; les deux plus gros centres, Rouen et Le Havre, ne doivent leur importance numérique qu'à leurs activités industrielles; commerce et services ne sont pas en rapport avec leurs tailles; le tertiaire supérieur y est peu développé. Dans les régions périphériques, les situations sont variées. Dans le Bassin Aquitain par exemple, Toulouse est isolée : on ne trouve aucun centre ayant un rôle régional sur un large espace. Dans le Nord, les villes sont nombreuses, mais la métropole lilloise concentre les fonctions régionales; ni Valenciennes, ni Arras, ni Dunkerque ne sont des centres régionaux ou sous-régionaux. Dans la région lyonnaise au contraire, diverses villes viennent relayer − et parfois concurrencer − l'influence de la métropole régionale, car l'évolution économique, très différente, a engendré de nombreux foyers d'activité : Grenoble et Saint-Étienne sont classés parmi les centres régionaux; Valence, Annecy et Chambéry parmi les centres sous-régionaux.

On a parfois écrit que l'encadrement tertiaire de la France n'avait pas abouti à la formation d'une armature urbaine systématiquement ordonnée et hiérarchisée. Ce n'est pas exact. Cette armature comporte tous les niveaux; elle est hiérarchisée et ordonnée; elle apparaît organisée par quelques principes simples, comme la taille des grands centres et l'éloignement par rapport aux pôles majeurs. On constate même une relative régularité dans cette organisation. Il existe bien une anomalie, par rapport à ce qu'on peut observer dans d'autres pays, mais elle ne concerne pas l'ordre et la hiérarchie de l'armature urbaine : c'est l'*écart exceptionnel qui sépare Paris des grandes villes de province.*

Cette particularité du système urbain français est confirmée par une étude faite sur le rayonnement national et international des villes européennes à partir d'une batterie de critères. Le classement est révélateur. Londres et Paris arrivent bien entendu en tête, assez curieusement avec le même nombre de points, mais parmi les vingt-cinq premières, il y a six villes allemandes, quatre villes britanniques, trois villes italiennes, deux villes espagnoles, deux villes néerlandaises, deux villes suisses et une seule ville française, Lyon qui apparaît seulement au 19e rang. Marseille arrive à la 27e place, Strasbourg à la 31e et Toulouse à la 39e.

LECTURES

DALMASSO (E.), DÉZERT (B.) et ROCHEFORT (M.), *Les Activités tertiaires dans l'organisation de l'espace,* Paris, S.E.D.E.S., 1976, 3 vol., 400 p.

DELSAUT (P.), « Hiérarchie des villes de la région du Nord d'après leur fonction de place centrale », *Hommes et Terres du Nord,* 1966, n° 1, p. 7-45.

HAUTREUX (J.), « Les principales villes attractives et leur ressort d'influence », *Urbanisme,* 1964, n° 78, p. 57-65.

HAUTREUX (J.), LECOURT (R.) et ROCHEFORT (M.), *Le Niveau supérieur de l'armature urbaine française,* Minist. de la Constr., mars 1963, doc. ronéo., 60 p. et ann.

HAUTREUX (J.) et ROCHEFORT (M.), « Physionomie générale de l'armature urbaine française », *Ann. de Géogr.,* nov.-déc. 1965, n° 406, p. 660-677.

KAYSER (B.) *et al., Les Petites Villes françaises,* Toulouse, C.I.E.U., 1972, 134 p.

LABASSE (J.), « Sièges sociaux et villes dominantes », *Trav. I.G. Reims,* 1980, n° 43-44, p. 3-14.

La France des villes (sous la direction de J. BEAUJEU-GARNIER), La Doc. Franç., Paris, 1978-1980, 6 vol.

Les Villes européennes, DATAR-GIP Reclus, 1989, 90 p.

PROST (M. A.), *La Hiérarchie des villes en fonction de leurs activités de commerce et de service,* Paris, Gauthier-Villars, 1965, 333 p.

PUMAIN (D.) et SAINT-JULIEN (Th.), A ville plus grande, travail plus qualifié, *Les Annales de la Recherche urbaine,* 1986, n° 29, p. 115-118 — *Atlas des villes de France,* Paris, Reclus — La Doc. Franç., 1989, 175 p.

CHAPITRE 4

LES VILLES ET LA POLARISATION DE L'ESPACE FRANÇAIS

Chaque ville a une zone d'influence plus ou moins vaste pour laquelle elle joue précisément le rôle de place centrale. Ses équipements administratifs, commerciaux, sanitaires, scolaires, culturels ou sportifs ne sont pas seulement destinés à faire face aux besoins de sa propre population, ils sont également destinés à satisfaire ceux de la population environnante. Selon le niveau de la ville dans la hiérarchie urbaine, les équipements sont plus ou moins importants et spécialisés; ils intéressent donc la «clientèle» d'un espace plus ou moins étendu. Un petit centre offrant une gamme réduite de biens et de services n'a évidemment qu'un faible rayonnement. Un grand centre offre au contraire une gamme étendue de biens et de services; ceux-ci intéressent la population d'un territoire plus vaste englobant les aires d'influence de centres plus petits.

Tout l'espace français est ainsi polarisé, tantôt fortement, tantôt faiblement, par le réseau des places centrales précédemment décrit. Mais quelles sont les modalités de cette polarisation? Quelles sont les limites des zones d'influence des grands centres? C'est ce qu'il convient maintenant de préciser.

La ville et son espace complémentaire

— Des relations multiples —

Rappelons d'abord que les relations entre une grande ville et sa zone d'influence — ou son « espace complémentaire », selon l'expression de W. Christaller — sont nombreuses et complexes.

Ces relations concernent la population de diverses façons et se traduisent par d'importants flux de personnes. L'un des aspects les plus visibles est l'attraction exercée sur les travailleurs des environs en raison de la concentration spatiale des zones d'emploi industriel ou tertiaire dans les villes; elle se traduit par des migrations quotidiennes qui peuvent prendre un caractère massif et intéresser une zone de 40-50 km de rayon dans le cas des grandes villes. Un autre aspect a tendance à se développer avec la diffusion de l'automobile et l'augmentation du niveau de vie : c'est l'attraction exercée par les commerces; les aires de chalandise des villes ont tendance à s'étendre, tandis que dépérit le petit commerce des villages ou des bourgs. L'attraction exercée par les services est plus forte encore, car certains d'entre eux demandent une clientèle potentielle très importante : il en est ainsi des grandes formations hospitalières, des cabinets de médecins spécialistes, des bureaux d'études ou encore des universités. Les services ne sont pas seulement destinés à satisfaire les besoins des particuliers : tout comme pour le commerce, certains satisfont aussi ceux des entreprises, pour tout ce qui concerne par exemple la gestion, le crédit, les assurances, la recherche ou la publicité. En sens inverse, l'évasion des citadins en fin de semaine a tendance à se développer; autour de chaque ville importante, existe une zone de loisirs plus ou moins étendue comportant des résidences secondaires ou des lieux de détente; l'effet économique de ces déplacements est évidemment plus limité, mais il n'est pas négligeable. Tous ces mouvements de personnes sont à l'origine d'importants flux de véhicules; la densité du trafic est croissante au fur et à mesure qu'on s'approche d'une grande agglomération; le phénomène de polarisation se manifeste ainsi clairement.

Les flux de marchandises sont variés et de plus en plus massifs. La grande ville attire une notable partie des produits élaborés dans la zone d'influence, soit pour les consommer, soit pour les transformer, soit encore pour les conditionner avant de les expédier. Inversement, la ville distribue à sa zone d'influence les marchandises qu'elle produit ou qu'elle fait venir d'ailleurs de façon groupée.

Les mouvements de capitaux, pour être discrets, n'en sont pas moins importants. Il y a à la fois drainage de l'épargne formée dans la zone d'influence de la part des établissements financiers de la ville, mais aussi, en sens contraire, fourniture de crédits aux particuliers ou aux entreprises.

Les flux d'informations sont également essentiels de nos jours; ils conditionnent l'activité économique comme l'activité sociale ou politique. Flux postaux ou téléphoniques, informations de toutes sortes diffusées par la presse, messages publicitaires... Ces flux prennent une ampleur croissante avec la « tertiarisation » progressive de l'économie.

Les relations entre la ville et son espace complémentaire sont donc multiples et complexes. Elles forment un écheveau embrouillé qui assure la solidarité et la cohésion de l'ensemble. Il n'y a pas seulement polarisation. Le terme suggère un effet d'attraction, d'aimantation. C'est assurément l'aspect le plus important, mais ce n'est pas le seul. Il y a à la fois polarisation et rayonnement, attraction et diffusion.

Les limites d'une zone d'influence sont difficiles à préciser puisque le rôle d'une ville sur l'espace environnant est de plus en plus faible au fur et à mesure qu'on s'en éloigne jusqu'à tendre vers zéro, c'est-à-dire jusqu'à rencontrer l'influence, également très faible, d'une autre ville. L'espace est donc formé d'une série de « champs » analogues aux champs magnétiques et dont les intensités sont variables : fortes à proximité des agglomérations importantes, faibles quand on s'éloigne suffisamment d'elles.

On peut utiliser divers critères pour essayer de cerner ces champs d'influence, mais les limites en sont forcément variables et floues. Ainsi, les aires des migrations alternantes sont généralement plus réduites que les aires de chalandise, et celles-ci sont à leur tour plus réduites que les aires d'influence de certains services de niveau élevé. Le tracé des limites comporte donc une marge d'incertitude. Mais il faut dire aussi que le procédé cartographique le plus fréquemment utilisé, qui consiste à tracer une limite précise, n'est guère satisfaisant. Trace-t-on les limites d'un champ magnétique? Il faut pourtant se représenter la zone d'influence d'une ville de la même manière.

L'agencement des zones d'influence

— Le partage organisé de l'espace —

A titre d'exemple, examinons comment se présente la polarisation de l'espace dans une partie de la France en reprenant l'exemple relativement simple de la Basse-Normandie.

La zone d'influence de Caen

Caen a accru son rôle régional depuis la Seconde Guerre mondiale et ses activités ont connu une expansion rapide. Pour le fonctionnement de ses industries, Caen reçoit diverses matières premières des environs : du minerai de fer, des produits agricoles, des matériaux de construction, mais les flux de marchandises ne sont pas considérables et se remarquent assez peu. Les flux de main-d'œuvre sont beaucoup plus manifestes : la ville attire des ouvriers et des cadres dans un rayon d'une trentaine de kilomètres. En tant que pôle commercial, Caen joue un rôle plus important aussi bien pour le commerce de détail que pour le commerce de gros ou de demi-gros;

son influence s'exerce fortement sur le département du Calvados, mais aussi, quoique plus faiblement, sur ceux de l'Orne et de la Manche. En tant que centre de services, son rôle est plus net encore : Caen accueille des administrations dont la compétence s'étend souvent à l'ensemble de la région de programme; l'université, avec ses 20 000 étudiants, rayonne sur la plus grande partie de la région et même un peu au-delà en direction du sud; le centre hospitalier et les 150 médecins spécialistes de la ville attirent les malades de toute la région, ou presque. Ces relations multiples sont clairement perceptibles sur les axes routiers convergeant vers la ville; plusieurs d'entre eux ont un trafic supérieur à 10 000 véhicules par jour et l'un d'eux atteint même les 15 000. Et ces relations sont en progression rapide.

Les limites de la zone d'influence varient évidemment selon les types de relation. On analysera plus spécialement l'attraction commerciale, telle qu'elle apparaît dans l'enquête faite en 1962 selon la méthode de l'économiste A. Piatier sur les habitudes de consommation; portant sur les lieux où les habitants font leurs achats, elle a permis de préciser l'étendue et les modalités de cette attraction, notamment la part des dépenses effectuée dans chaque centre et le nombre de clients attirés. Certains changements ont pu se produire depuis lors, mais ils sont probablement de faible ampleur; l'essentiel est d'ailleurs de saisir ici la façon dont l'influence de la ville s'exerce sur l'espace environnant.

La carte de l'attraction commerciale montre la décroissance du rôle de la ville avec la distance (fig. 23). Dans un rayon de 20-30 km, une partie importante des achats est faite à Caen; cette zone d'influence forte n'est pas circulaire : elle s'allonge le long des routes, plus ou moins selon la distance des autres pôles; elle s'étend peu vers Bayeux en raison de la proximité relative de cette petite ville. Au-delà d'une vingtaine de km, apparaissent des centres locaux fournissant la population en biens courants; la proportion des achats effectués à Caen diminue et devient inférieure à 50 %. A une cinquantaine de km, la présence de centres moyens comme Saint-Lô, Lisieux ou Flers fait tomber cette proportion au-dessous de 20 %. L'influence régionale de Caen se fait encore sentir au-delà, mais la

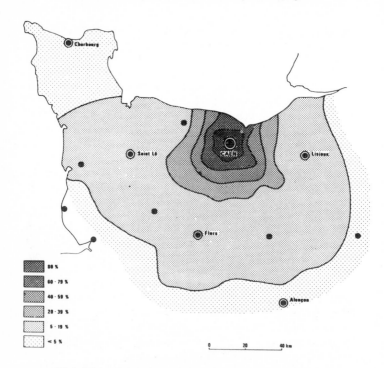

Fig. 23. — L'attraction commerciale de Caen

Part des achats non alimentaires faite à Caen pour l'espace environnant la ville en 1962.

[D'après G. Gelée, 1964.]

population n'a plus recours à la capitale bas-normande que pour se procurer des biens ou des services de niveau élevé. On peut considérer que l'aire où 5 % au moins des achats sont faits à Caen définit approximativement la zone d'influence de la ville comme pôle régional. Elle s'étend jusqu'à 90 km, car elle ne se heurte pas

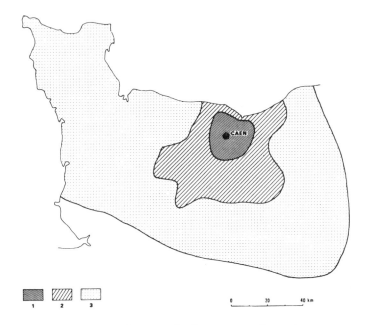

Fig. 24. — Influence de Caen pour divers types de biens et de services

1. Attraction pour les achats alimentaires ($\geqslant$ 21 % des dépenses).
2. Attraction pour les achats vestimentaires (id.).
3. Attraction de l'Université (quasi-totalité des étudiants).

[D'après G. Gelée 1964 pour 1 et 2; et ministère de l'Éducation nationale pour 3.]

à l'action d'un autre centre important. La zone d'influence faible couvre donc une bonne partie de la Basse-Normandie : les 3/4 environ. Plus loin, l'influence de Caen devient très faible tout en s'exerçant encore pour certains services dans la presqu'île du Cotentin en raison de l'insuffisance des équipements de Cherbourg;

dans les autres directions, l'influence d'autres villes se fait peu à peu sentir. Avranches est dans la mouvance de Rennes et Alençon dans celle du Mans; au-delà de Lisieux, l'influence de Rouen commence à s'exercer faiblement. Bien entendu, l'influence de Paris se fait également sentir sur l'ensemble de la région pour certaines catégories de biens ou de services :

La population aisée de Caen effectue une petite partie de ses achats dans la capitale ; le reste de la population bas-normande ne se rend à Paris que de façon exceptionnelle ; au total, l'évasion de pouvoir d'achat en direction de Paris semble assez faible.

L'influence de Caen s'exerce plus ou moins loin selon les types de biens ou de services (fig. 24). Vite arrêtée lorsqu'il s'agit de biens alimentaires courants, elle s'étend déjà un peu plus loin pour les biens non alimentaires assez usuels et nettement plus loin pour les biens et services rares.

Il n'est pas facile de déterminer la part de la ville et de la région dans l'activité de Caen, mais, à partir de l'enquête de 1962, on peut obtenir un ordre de grandeur. Le nombre de clients théoriques — c'est-à-dire de clients effectuant la totalité de leurs dépenses à Caen — était alors de 116 000 pour la ville seule et de 140-150 000 pour la zone d'influence. On en déduit que la zone d'influence contribuait pour un peu plus de la moitié à soutenir l'activité des commerces et des services de l'agglomération caennaise.

Les zones d'influence des autres centres

Examinons maintenant les zones d'influence des autres centres situés dans l'espace dépendant de Caen (fig. 25).

1. Les pôles moyens sont au nombre de trois et non plus de cinq comme dans l'ensemble de la Basse-Normandie : Lisieux, Flers et Saint-Lô. La ville d'Alençon ne fait pas partie de la zone d'influence de Caen. L'agglomération de Cherbourg occupe une place à part dans le petit monde isolé qu'est la pointe du Cotentin ; elle dépend faiblement de Caen, mais sans avoir pour cela la clientèle nécessaire

pour développer des activités tertiaires de bon niveau. Les trois pôles moyens sont situés presque à la même distance de Caen : une cinquantaine de km. Ils possèdent à peu près le même nombre d'habitants (dans les 25 000 en 1990). Leurs zones d'attraction ont à peu près les mêmes caractéristiques : elles s'étendent jusqu'à 15-20 km pour l'attraction moyenne et 30 km pour l'attraction faible; tout comme à Caen, la clientèle attirée par les centres est un peu plus nombreuse que celle des centres eux-mêmes.

2. Les petits pôles sont au nombre de quatre : Bayeux, Coutances, Vire et Argentan. Ils ont une population comprise entre dix et quinze mille habitants. Leurs zones d'influence occupent les « vides » laissés par celles de Caen et des pôles moyens : la zone de Vire, par exemple, s'intercale exactement entre celles de Saint-Lô et de Flers.

3. Les centres locaux sont au nombre de neuf dans l'espace qui dépend de Caen. Leurs zones d'influence occupent les places libres dans la mosaïque formée par les zones d'action des pôles précédents : ainsi, Villedieu-les-Poêles exerce son influence dans l'espace laissé vacant entre les zones de Saint-Lô, Vire, Avranches, Granville et Coutances. Les centres locaux rayonnent sur des étendues plus restreintes que les centres petits ou moyens : 10-15 km pour l'attraction moyenne, 15-20 km pour l'attraction faible. Ils ont chacun quelques milliers d'habitants.

4. Les petits centres locaux sont au nombre d'une trentaine. Ils exercent leur influence commerciale soit dans les rares espaces laissés libres par les zones précédentes, soit sur les marges des zones de chalandise des centres plus importants. Leur rayonnement ne dépasse guère les 7-8 km.

5. Les bourgs n'ont pas été représentés sur la carte. Ils sont le plus souvent en bordure des zones d'influence déjà décrites. Leur action ne se fait guère sentir en général au-delà de 5 km.

L'analyse de la zone d'influence de Caen montre que tout *l'espace est organisé par un ensemble de centres*, par une série de champs de force liés les uns aux autres. Selon les produits ou les services dont il a besoin, un éleveur du Bocage Normand s'adressera à Sourdeval

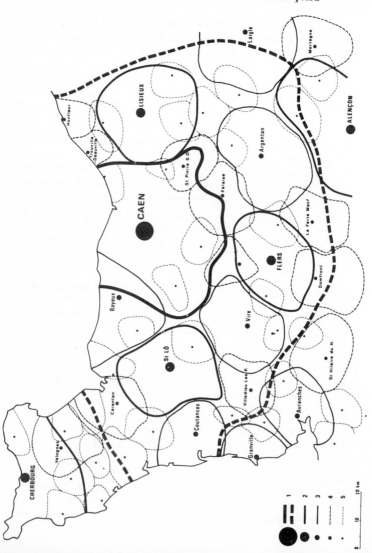

par exemple pour des achats ordinaires ou à Vire pour des approvisionnements déjà moins usuels; pour des achats peu courants, il se rendra à Flers ou directement à Caen.

Le dessin et la dimension des zones d'influence

Le puzzle des zones d'influence est formé d'éléments ayant une forme grossièrement polygonale. Il n'est pas difficile d'en rendre compte. L'influence d'un centre se heurte à celle de plusieurs centres voisins. Pour les théoriciens de la localisation comme Christaller ou Lösch, la disposition régulière des centres de même niveau donne aux zones d'influence une forme hexagonale. La réalité est en fait plus complexe. La forme est assez variée, car la disposition des centres n'est pas parfaitement régulière. On reconnaîtra pourtant que la configuration des zones d'influence est vaguement polygonale pour nombre de villes d'autant que leur dessin sur la carte a été simplifié et arrondi.

La dimension des zones importe d'ailleurs plus que la forme. A ce point de vue, un modèle simple comme celui de Reilly permet d'en rendre compte dans une large mesure. Selon W. J. Reilly, deux villes attirent des acheteurs au détail appartenant à un espace situé

Fig. 25. — **Les centres de Basse-Normandie et leurs zones d'influence**

d'après l'étude de l'attraction commerciale en 1962.
1. Pôle principal.   4. Centre local.
2. Pôle moyen.   5. Bourg.
3. Petit pôle.

La limite retenue pour la zone d'influence de chaque centre est l'attraction commerciale moyenne ($\geqslant 21\%$ des dépenses). Pour Caen, on a en outre indiqué l'attraction commerciale étendue en tireté gras ($\geqslant 5\%$ des dépenses).

[D'après G. Gelée, 1964.]

entre elles en raison directe des masses urbaines en présence et en raison inverse du carré de leur distance au lieu considéré[1].

Cette « loi » rappelle la loi de l'attraction universelle de Newton, d'où le nom de modèle gravitationnel souvent donné au modèle de Reilly. Une formule simple permet de calculer la frontière des aires d'influence entre deux villes[2].

A titre d'illustration, examinons le partage de la clientèle entre Caen et les grands pôles voisins pour les biens de niveau élevé. Pour ces biens, le partage correspond approximativement à la zone d'influence étendue de Caen :

Distance entre Caen et la zone de partage avec :	*D'après la formule de Reilly*	*D'après l'observation (enquête 1962)*
Rennes	71 km	70 km environ
Le Mans	64	68

Examinons ensuite le partage de la clientèle entre Caen et les villes de la couronne pour les biens et les services de niveau moyen.

---

1. $v = \dfrac{p}{d^2}$

    v = rapport des ventes des villes A et B aux habitants du lieu C situé entre elles (v_A/v_B).

    p = rapport des populations des deux villes (p_A/p_B).

    d = rapport des distances du lieu C aux villes A et B (d_A/d_B). REILLY (W. J.), *The Law of Retail Gravitation*, New York, 1931, 2e édition, 1953, 75 p.

2. $d_A = \dfrac{d_{AB}}{1 + \sqrt{\dfrac{p_A}{p_B}}}$

    d_A = distance jusqu'à la ville A.

    d_{AB} = distance entre les deux villes A et B.

    p_A et p_B = population des villes A et B.

Pour ces biens, la ligne de partage correspond assez bien aux limites des zones d'influence moyenne :

Distance entre Caen et la zone de partage avec :	*D'après la formule de Reilly*	*D'après l'observation (enquête 1962)*
Lisieux	31 km	30 km environ
Argentan	42	38
Flers	44	38
Vire	41	36
Saint-Lô	39	37
Bayeux	21	20

Les résultats obtenus par calcul ne sont pas très éloignés de ceux obtenus par l'observation. La formule de Reilly donne des résultats assez satisfaisants dans un milieu peu industrialisé comme celui de la Basse-Normandie; elle donne des estimations moins bonnes lorsqu'il s'agit de villes industrielles à activités tertiaires médiocres; il faut alors effectuer les calculs sur la population active tertiaire et non sur la population totale; de toute façon, elle aide à déchiffrer la réalité. Sans se soucier ici de son utilité pratique, on retiendra seulement qu'elle souligne le rôle de deux facteurs essentiels : la distance par rapport aux centres urbains et l'importance des masses urbaines en présence.

Soulignons pour terminer cette analyse que les observations faites sur la Basse-Normandie ont une valeur générale pour la France. Les enquêtes faites sur d'autres régions fournissent des résultats comparables.

A quelques variantes près, l'organisation de l'espace par les centres urbains est la même dans tout le pays. La structuration de l'espace par les villes dans la région du Nord, avec son semis dense d'agglomérations minières et industrielles, n'est pas différente, dans son principe, de celle des Alpes du Sud avec ses petites villes tertiaires s'égrenant de loin en loin dans les vallées.

Les zones d'influence des villes françaises

— Le rôle de la distance —

Changeons maintenant d'échelle et examinons la polarisation de l'espace dans l'ensemble de la France. Plusieurs informations sont utilisables pour cette analyse. Parmi les plus intéressantes, on en retiendra deux qui permettent d'avoir une bonne idée des zones d'influence moyenne et étendue des villes : celles indiquant l'attraction des commerces et des universités.

Les zones d'influence commerciale

L'attraction exercée par les commerces et les services doit d'abord être analysée, parce que c'est la plus significative et parce qu'elle touche à un aspect majeur de l'activité économique.

La carte des zones d'influence commerciale pour l'ensemble de la France (fig. 26) a été établie sous la direction de A. Piatier à partir d'enquêtes faites selon les mêmes méthodes qu'en Basse-Normandie; elle date de 1962; il n'est pas impossible que soient survenus des changements depuis lors, avec le développement des hypermarchés et l'augmentation de l'influence des grands centres, mais ces changements sont sans doute peu importants : des enquêtes faites à plusieurs années d'intervalle ont montré que les modifications de dessin des zones d'attraction commerciale étaient très lentes; on peut donc considérer cette carte comme toujours valable.

Observons d'abord les zones d'influence moyenne dont les limites sont indiquées par des traits continus. Elles sont au nombre de 216. Malgré cela, elles ne couvrent que les 2/3 du territoire environ. Elles laissent entre elles des « vides ». Par analogie avec ce qui a été observé autour de Caen, il n'est pas difficile de saisir comment ces vides sont desservis : ils le sont par de petits centres ou des bourgs offrant seulement des produits ou des services relativement courants. Pour une partie de la population française — plusieurs millions de personnes —, l'accès à certains biens ou services est donc relativement malaisé; il exige un déplacement assez long et coûteux; c'est plus particulièrement le cas dans le sud et le sud-est du Bassin Parisien, la Bretagne intérieure, de larges secteurs du Massif Central et du Bassin Aquitain car les villes y sont distantes les unes des autres; ce mauvais encadrement urbain est évidemment très lié à la faiblesse du peuplement.

Les zones d'influence moyenne sont plus ou moins étendues; leurs dimensions s'expliquent par les deux variables déjà analysées à propos de la Basse-Normandie, l'importance des villes et les distances qui les séparent, mais on en voit mieux apparaître ici certains aspects. C'est ainsi que la densité des centres joue de façon manifeste : là où le semis urbain est dense comme dans le Nord ou l'Alsace, les zones d'influence sont peu étendues, elles se touchent et parfois même elles se recoupent; là où le semis urbain est lâche comme dans le Massif Central ou le Sud-Ouest, les zones d'influence ont tendance à s'étaler faute de concurrence; par exemple, des villes modestes comme Rodez ou Aurillac exercent un rayonnement commercial allant loin à la ronde, s'étendant bien plus que celui de Colmar ou de Valenciennes, villes autrement importantes pourtant mais situées dans des régions fortement urbanisées. La spécialisation fonctionnelle des agglomérations joue aussi de façon très sensible; les villes minières ou fortement industrielles ont une faible attraction commerciale : l'agglomération d'Hagondange-Briey n'a aucun rayonnement; les agglomérations de Bruay, Denain, Longwy ou Montbéliard n'ont qu'un rayonnement fort limité; par contre, les villes tertiaires déploient toujours une influence étendue compte tenu de leur importance démographique.

Le rôle de la distance est cependant le plus manifeste. Pour tous les biens ou services de niveau moyen, il est exceptionnel que le rayonnement s'exerce au-delà de 50-60 km, ce qui représente en

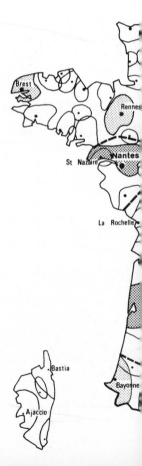

**Fig. 26. — Les zones
d'attraction commerciale
des villes françaises**

d'après les enquêtes faites sous la direction de A. Piatier vers 1960.
Les grisés soulignent seulement les
zones d'attraction moyenne des pôles
les plus importants.

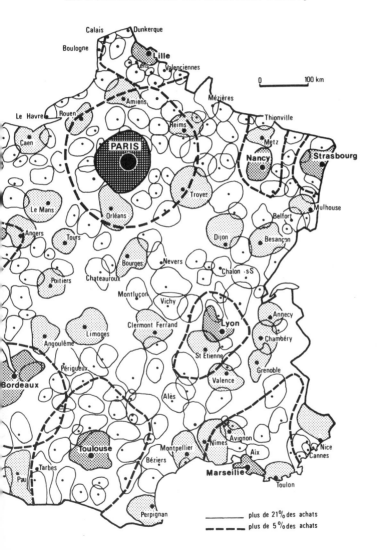

0 _____ 100 km

_____ plus de 21% des achats
_ _ _ _ _ plus de 5% des achats

général moins d'une heure de voiture; dans la plupart des cas, il est même inférieur à une trentaine de km.

Examinons maintenant les zones d'influence étendue indiquées en tireté sur la carte. Cette carte est malheureusement insuffisante à ce point de vue puisqu'elle indique seulement les zones d'attraction faible de Paris et des métropoles d'équilibre. Pour avoir une idée plus complète de la desserte du pays en biens de niveau supérieur, il faudrait ajouter les zones d'influence étendue de quelques autres villes offrant également ces biens comme Rennes, Limoges, Clermont-Ferrand, Dijon, Montpellier, Nice et quelques autres encore; on a vu que la ville de Caen en fournissait aussi et que son influence s'exerçait plus ou moins sur trois départements.

Quoi qu'il en soit, les zones d'attraction commerciale étendue (comprises comme étant celles où 5 % au moins des achats sont effectués dans le pôle principal), ne couvrent qu'une partie de la France. Dans le reste du pays, la population ne dispose, à distance modérée, que de biens ou de services de niveau moyen; elle n'accède aux biens de niveau supérieur qu'au prix de déplacements assez longs. D'une façon générale, *l'éloignement amenuise vite les relations.* On peut constater sur la carte que l'influence des plus grandes villes cesse pratiquement au-delà de 100 km, du moins pour les achats. C'est également vrai pour Paris. Certes, la capitale rayonne à certains égards sur l'ensemble de la France, mais il n'en est pas de même pour le commerce et la plupart des services. Quelle part de leurs dépenses font à Paris un cadre toulousain ou un ouvrier lillois? Un agriculteur breton ou un viticulteur alsacien? Il n'y a pas eu d'enquêtes sur ce sujet, mais cette part est certainement infime, très inférieure en tout cas à celle qu'un Parisien fait en province au cours de ses déplacements de travail ou de vacances. En fait, l'influence commerciale de Paris ne s'étend vraiment que sur le centre du Bassin Parisien et laisse de côté ses marges; elle devient faible au-delà de 125 km.

Soulignons enfin que la carte théorique des zones d'influence des grandes villes, établie en utilisant la formule de Reilly, n'est pas très différente par son dessin des zones d'influence commerciale étendue.

Le facteur « distance » est bien mis en valeur dans la formule puisqu'il est affecté d'un exposant alors que le facteur « masses urbaines » ne l'est pas. On a d'ailleurs essayé d'améliorer la formule en faisant varier l'exposant : on obtient de meilleurs résultats en augmentant un peu l'exposant — jusqu'à 2,5 par exemple — plutôt qu'en le diminuant. Pour le commerce et les services et, d'une façon générale, pour toute l'activité économique, la distance est décidément un sérieux obstacle.

Les zones d'attraction des agglomérations les plus importantes définies à partir de l'inventaire communal de 1979 montrent une configuration similaire (fig. 27 a et b). Il s'agit ici de l'attraction notée par l'administration des communes sur les villes qui les attirent pour tout motif autre que le travail. L'attraction relevée est celle des commerces et surtout celle des services tels que les équipements scolaires, sanitaires et ludiques. S'agissant de biens plus rares que les simples biens de consommation, les zones d'attraction sont plus étendues. Nombre d'entre elles correspondent grossièrement à un département. Quelques-unes chevauchent plusieurs départements.

Les zones d'influence des universités

Pour obtenir une meilleure image des zones d'influence étendue des grandes villes françaises, examinons enfin l'attraction exercée par les principaux établissements d'enseignement supérieur (fig. 28). Sur la carte ne figurent que les zones de recrutement des villes universitaires les plus importantes.

Il s'agit bien entendu d'un indice qui donne une idée du rayonnement étendu, puisqu'il s'agit d'un service de niveau élevé, coûteux pour la collectivité et supposant un large bassin de recrutement. On constate effectivement que toutes les villes universitaires un peu importantes attirent des étudiants de plusieurs départements. La distance joue beaucoup moins ici puisque la plupart des étudiants résident près des universités pendant la durée des enseignements.

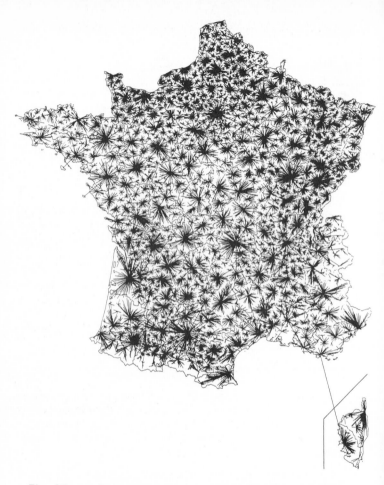

Fig. 27 a. — La polarisation du territoire par les villes

Dans l'inventaire communal de 1979-80, chaque commune a indiqué la ville que ses habitants fréquentaient le plus (hormis les déplacements professionnels). Cet inventaire fournit un bon repérage de tous les pôles d'attraction, quelle que soit leur taille.

Source : d'après l'*Inventaire communal...*, les Coll. de l'INSEE, série R, 1984.

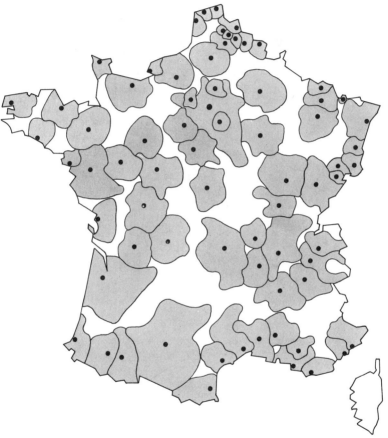

Fig. 27 b. — La polarisation du territoire par les villes

Cette carte est une simplification de la carte précédente. Elle représente les zones d'attraction des villes principales d'après l'Inventaire communal de 1979-80.
[D'après une carte en couleurs de M. Vigouroux, 1988.]

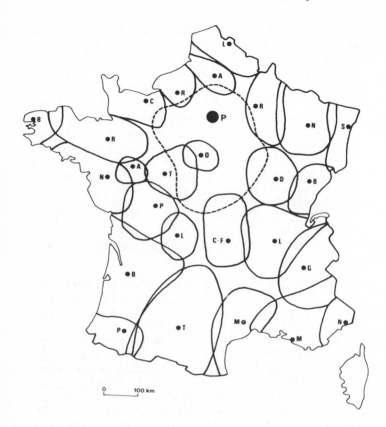

**Fig. 28. — Zones d'influence étendue des universités
ayant au moins 4 000 étudiants en 1971-1972**

[D'après l'*Atlas des aires d'attraction des villes universitaires,* ministère
de l'Éducation nationale, juin 1973.]

La ressemblance avec les zones d'influence commerciale étendue est assez satisfaisante pour la plupart des centres, quel que soit le prestige attaché à telle ou telle université. On notera l'étendue des zones de recrutement dans l'ouest, le centre et le sud-ouest de la France là où les pôles bien équipés sont peu nombreux : par exemple, les zones de Bordeaux et de Toulouse sont particulièrement étendues.

On notera aussi l'extension de la zone de recrutement régional des universités parisiennes malgré la création d'établissements dans diverses villes du Bassin Parisien destinés précisément à décongestionner l'enseignement supérieur de la capitale; elle s'étend d'ailleurs bien au-delà pour les niveaux les plus élevés ou pour certaines formations très spécialisées.

Au terme de ces analyses, plusieurs points doivent être soulignés :

1. A l'intérieur du territoire français, *l'intensité de la polarisation est très inégale.*

Certaines parties, éloignées des grandes villes et parfois même des villes moyennes, sont très faiblement animées. Ce sont des zones rurales peu peuplées où l'encadrement urbain, constitué seulement de bourgs ou de petites villes, est médiocre. Ces espaces sont incontestablement défavorisés, spécialement pour tout ce qui concerne les services; les chances de succès dans les études sont moins bonnes pour les jeunes, les chances d'être bien soigné en cas de maladie ou d'accident sont moindres qu'ailleurs. Certains villages du sud ou du sud-est du Bassin Parisien et nombre de communes du Massif Central, des Alpes du Sud ou des Pyrénées sont à plus d'une heure de voiture d'une ville moyenne, à plus de deux heures d'une ville importante; c'est bien pis encore dans le cas de la Corse qui, plus que toute autre partie de la France, souffre de l'isolement : un déplacement à Nice ou à Marseille est long par bateau ou onéreux par avion. On parle parfois de «campagnes profondes» pour évoquer les parties attardées du monde rural; l'expression s'applique mieux encore pour désigner ces zones très éloignées des villes. Dans beaucoup de cas, du reste, retard et isolement vont de pair.

D'autres parties de l'espace français, en revanche, connaissent une intense animation et une forte polarisation se traduisant par d'intenses flux de personnes et de marchandises : les nébuleuses urbaines des bassins miniers du Nord et de la Lorraine, les grands axes urbanisés des vallées de la Seine et du Rhône ou, surtout, les espaces proches des grandes agglomérations. Ce sont des secteurs fortement peuplés, constellés de villes, innervés par de nombreuses voies à gros trafic et où l'accessibilité aux services de niveau élevé est relativement facile.

2. L'espace français est organisé en *une série de réseaux urbains centrés sur des métropoles régionales ou des centres régionaux.* A l'intérieur de chaque région, la vie s'organise autour du pôle principal et d'une série de centres plus petits. A la limite de la région, apparaissent les bourgs ou les petites villes du réseau urbain voisin.

La concurrence d'un réseau urbain à l'autre est faible. Par contre, elle peut être vive à l'intérieur d'un même réseau. Elle correspond aux diverses évaluations faites par les consommateurs sur les avantages et les inconvénients des divers centres; en effet, les mêmes biens ou services peuvent souvent être acquis dans plusieurs centres; la distance n'intervient que pour départager les centres de niveau différent à l'intérieur d'un même réseau. La concurrence semble de plus en plus donner l'avantage aux villes les plus importantes.

3. *Les limites des zones d'influence étendue des métropoles ou des centres régionaux varient sensiblement selon les critères utilisés.* Aucun n'est tout à fait satisfaisant car aucun n'est vraiment synthétique.

Si le dessin des limites varie quelque peu selon les analyses, on trouve tout de même une assez bonne correspondance pour des centres régionaux comme Rennes, Limoges, Clermont-Ferrand ou Nice. On trouve également une assez bonne conformité pour la plupart des métropoles régionales, bien qu'il s'agisse de zones plus étendues, donc plus floues : c'est le cas pour Lille, Nancy, Strasbourg, Lyon, Toulouse et Bordeaux; c'est un peu moins net pour Marseille et surtout pour Nantes. L'incertitude est plus grande pour Paris, dans la mesure où il s'agit d'une influence multiforme s'exerçant sur un espace exceptionnellement étendu. Il est d'ailleurs illusoire de vouloir en fixer avec précision les limites : c'est en contradiction avec la notion même de zone d'influence.

Quoi qu'il en soit, les analyses relatives aux points forts et aux zones d'influence fournissent *une base logique pour diviser l'espace français*.

LECTURES

ANDAN (O.) *et al.*, « Types d'organisation des aires de relation des grandes villes françaises », *Anal. de l'Esp.*, 1976, p. 1-40.

BABONAUX (Y.), *Villes et régions de la Loire moyenne : Touraine, Blésois, Orléanais*, Paris, S.A.B.R.I., 1966, 744 p.

BARATRA (M.), *Le Ressort d'influence des villes en Aquitaine*, Paris, Gauthier-Villars, 1966, 156 p.

BARBIER (B.), *Villes et campagnes des Alpes du Sud, étude de réseau urbain*, Gap, 1969, 421 p.

BEAUJEU-GARNIER (J.) *et al.*, « L'accessibilité des grandes villes françaises », *Geoforum*, 1975, 2, p. 137-150.

BRUYELLE (P.), *L'Organisation urbaine du Nord-Pas-de-Calais*, 1981, 3 vol., 1220 p. et atlas annexe (thèse).

CHABOT (G.), « Carte des zones d'influence des grandes villes françaises », Paris, *Mém. et Doc.*, C.N.R.S., t. VIII, 1971, p. 139-143.

DUGRAND (R.), *Villes et campagnes du Bas-Languedoc*, Paris, P.U.F., 1963, 638 p.

LABASSE (J.), *Les Capitaux et la région* (Essai sur le commerce et la circulation des capitaux dans la région lyonnaise), Paris, A. Colin, 1955, 533 p.

MOINDROT (Cl.), « La délimitation des aires d'influence métropolitaine par un modèle de gravité : le Centre-Ouest de la France », *L'Esp. géogr.*, 1975, n° 3, p. 197-207.

OUDART (P.), *Les Grandes Villes de la couronne urbaine de Paris de la Picardie à la Champagne,* Amiens, 1983, 684 p. (thèse).

PIATIER (A.), « L'attraction commerciale des villes : une nouvelle méthode de mesure », *Rev. jurid. et écon. du S.O.,* Bordeaux, 1956, p. 575-594, cartes.

PIATIER (A.), « Les villes où les Français achètent », *Les Informations,* supplément au n° 1229, 1968, 28 p., 4 cartes h. t. *Radioscopie des communes de France : ruralité et relations villes-campagnes,* Paris, Economica, 1979.

PUMAIN (D.) et SAINT-JULIEN (Th.), *Atlas des villes de France,* Paris, Reclus — La Doc. Franç., 1989, 175 p.

ROCHEFORT (M.), *L'Organisation urbaine de l'Alsace,* Strasbourg, Paris, 1960, 384 p.

THIBAULT (A.), « Mobilité des hommes et organisations spatiales : l'exemple de la Picardie », *L'Esp. géogr.,* 1974, 1, p. 57-67.

VIGOUROUX (M.), « L'attraction des villes françaises vue des communes concernées », *Mappemonde,* 1988, 1, p. 32-33.

Il convient aussi de consulter les atlas régionaux. La plupart comportent des cartes intéressantes sur les aires d'attraction des villes françaises.

CHAPITRE 5

LES DIVISIONS
DE L'ESPACE FRANÇAIS

Le territoire national peut donc être partagé en un certain nombre de sous-espaces centrés sur une métropole ou un centre régional. Ces sous-espaces ont une certaine autonomie en ce sens qu'à l'intérieur de leurs limites la population se procure la totalité ou la quasi-totalité des biens ou des services dont elle a besoin; c'est à l'intérieur de ces limites que se nouent la plus grande partie des relations entre les individus, qu'il s'agisse du travail, des achats, des loisirs ou d'autres activités. Presque toute la vie économique, sociale et culturelle s'effectue à l'intérieur de ces régions organisées par une grande ville.

La reconnaissance de ces sous-espaces permet d'examiner d'un œil plus averti les projets de division qui ont été proposés depuis plus d'un siècle ou encore l'expérience de régionalisation entreprise depuis 1956.

La division de la France en « régions »

— Des projets et une expérience —

Les projets de division

Les projets de division ont été fort nombreux. Si on en dressait la liste, on en dénombrerait sans doute plus d'une cinquantaine. Ils ont été élaborés par des hommes de formations très diverses et avec des intentions très différentes : tantôt dans un simple but d'études, tantôt dans un but politique.

On se contentera d'en citer quelques-uns, parmi les plus significatifs.

Au XIXe siècle, le philosophe Auguste Comte avait prévu un découpage en 17 intendances ayant chacune à sa tête une grande ville; le sociologue Frédéric Le Play proposait une division en 13 provinces (fig. 29). Au début du XXe siècle, de nombreux projets ont vu le jour à un moment où des ensembles territoriaux plus vastes se constituaient et où il était question de créer de nouvelles divisions administratives susceptibles de remplacer le département; parmi eux, citons celui du géographe Vidal de la Blache qui, dans un article publié en 1910, montrait que la région est un espace organisé autour d'une grande ville; suivant ce principe, il proposait un découpage en 17 régions. La question de la division régionale du territoire s'est de nouveau posée, de façon plus pressante, après la Seconde Guerre mondiale; parmi les projets avancés à cette époque, citons en particulier ceux de M. Debré et de J. F. Gravier.

La diversité des projets et, pour certains, une conception assez vague de la région montrent qu'en France, le découpage régional s'impose avec moins d'évidence que dans la plupart des pays voisins.

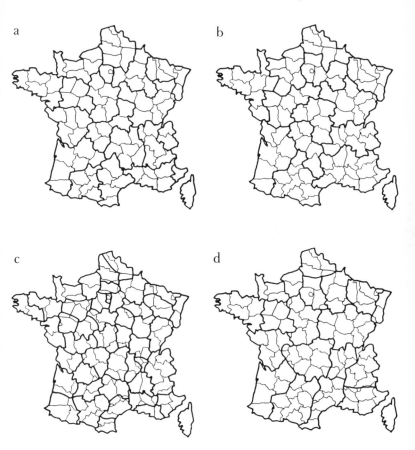

Fig. 29. — **Anciens projets de division régionale
du territoire**

a. Auguste Comte (1854)   **b. Frédéric Le Play (1864)**
c. Michel Debré (1946)   **d. Jean-François Gravier (1949).**
Source : J.-P. Laborie *et al.* (1986).

L'actuelle division en 22 régions

L'idée d'une nouvelle division territoriale était tout de même dans l'air. Elle a fini par devenir réalité.

En 1956, les «régions de programme» ou «circonscriptions d'action régionale» ont été créées pour faciliter l'élaboration et l'exécution des plans; par la suite, elles ont également fourni un cadre permettant d'harmoniser les multiples circonscriptions des diverses administrations. Le préfet de région avait pour tâche essentielle de mettre en œuvre la politique du gouvernement en matière de développement économique, de planification des équipements et d'aménagement du territoire.

Depuis 1973, chaque circonscription d'action régionale, qui a pris simplement le nom de «région», est devenue un établissement public spécialisé ayant une personnalité juridique et financière. Sa mission demeure inchangée pour l'essentiel : la région doit faciliter le développement économique et social en orientant la politique d'équipement; toutefois, elle n'a pas d'administration propre et son budget est faible. Le processus de déconcentration a donc commencé, mais il reste pour l'instant très limité : il est restreint au choix de quelques équipements collectifs.

En ce qui concerne la dimension des circonscriptions, l'objectif était au départ de former des groupes de départements aussi équilibrés que possible, la région Ile-de-France étant réduite au minimum et les autres régions devant compter au moins un million d'habitants. En fait, le nombre des divisions a été augmenté et un certain morcellement en est résulté (fig. 30). La Normandie a été divisée en deux pour satisfaire Rouen et Caen. La Franche-Comté n'a pas été unie à la Bourgogne pour ménager Besançon. Plusieurs circonscriptions sont trop peu peuplées : le Limousin n'a que 730 000 habitants et la Corse en a tout juste 250 000. Bien qu'il soit malaisé de préciser la clientèle requise pour que de bons équipements tertiaires de niveau supérieur figurent dans la métropole d'une région, on peut assurer qu'elle devrait être nettement supérieure à un million de personnes.

Fig. 30. — Les vingt-deux régions du découpage officiel

avec leurs chefs-lieux et les départements qui les composent

Quant à la délimitation des 22 régions, elle n'a pas été faite de façon très cohérente. Le groupe de fonctionnaires qui a été chargé de l'opération a tenu compte de critères variés mais n'a pas consulté les élus locaux. On ne saurait être surpris, dans ces conditions, si le résultat n'est pas entièrement satisfaisant. A la rigueur, il est acceptable pour la périphérie du territoire : le Nord, la Lorraine, l'Alsace, la région Rhône-Alpes, la Provence, le Languedoc-Roussillon, la région Midi-Pyrénées ou l'Aquitaine correspondent plus ou moins à des espaces fonctionnels; il en est de même pour les circonscriptions placées au centre du pays : Limousin et Auvergne. Mais dans la zone d'attraction de Paris ou dans l'Ouest, le résultat est franchement contestable : les pays charentais, qui regardent en partie vers Bordeaux, en ont été coupés; le Morbihan, qui est tourné vers Nantes, en a été séparé, tandis que la Sarthe, fortement attirée par Paris, a été rattachée aux Pays de la Loire; les départements de l'Yonne et la Nièvre ont été placés dans la Bourgogne en dépit de leur absence de relations avec Dijon. Plusieurs circonscriptions sont fort discutables : il en est ainsi de la « région » Poitou-Charentes, partagée entre les attractions de quatre villes moyennes, mais soumise à l'influence lointaine de Paris et de Bordeaux; ou encore de la « région » Centre, partagée entre les attractions de plusieurs villes moyennes, mais relevant en fait de la capitale.

Essai de division géographique du territoire

— Une quinzaine de régions fonctionnelles —

Après ce constat, on se voit contraint de rechercher une autre division que celle du découpage actuel en 22 régions pour décrire l'espace français.

Le principe de division

Pour obtenir une division cohérente de l'espace, il faut adopter un principe de découpage. Le plus valable aujourd'hui est celui qui tient compte des espaces polarisés, des espaces correspondant à l'influence des grandes villes exerçant des fonctions régionales.

Si le principe peut être aisément admis, son application pose de délicats problèmes touchant au nombre des régions et à leurs limites.

Le nombre des métropoles régionales a été fixé officiellement à huit lors de la préparation du Ve Plan. On ne saurait pourtant s'en tenir là. Quelques autres villes servent incontestablement de pôles régionaux pour certaines parties de la France qui n'ont pas de métropoles.

Les limites des zones d'attraction sont floues : ce ne sont pas des lignes, mais des marges plus ou moins étendues où l'action des métropoles devient faible ou nulle; le plus souvent, il s'agit d'espaces ruraux dont la population est peu dense. Les limites observées doivent, de toute façon, être déplacées si on veut qu'elles correspondent à celle des départements. C'est une opération gênante quand on a le souci de la précision, mais nécessaire : on ne saurait aujourd'hui concevoir des analyses régionales sans un stock important d'informations statistiques; or, la plupart des informations intéressantes n'existent qu'à l'échelon départemental. L'inconvénient que représente le déplacement de certaines limites est donc largement compensé par cet avantage.

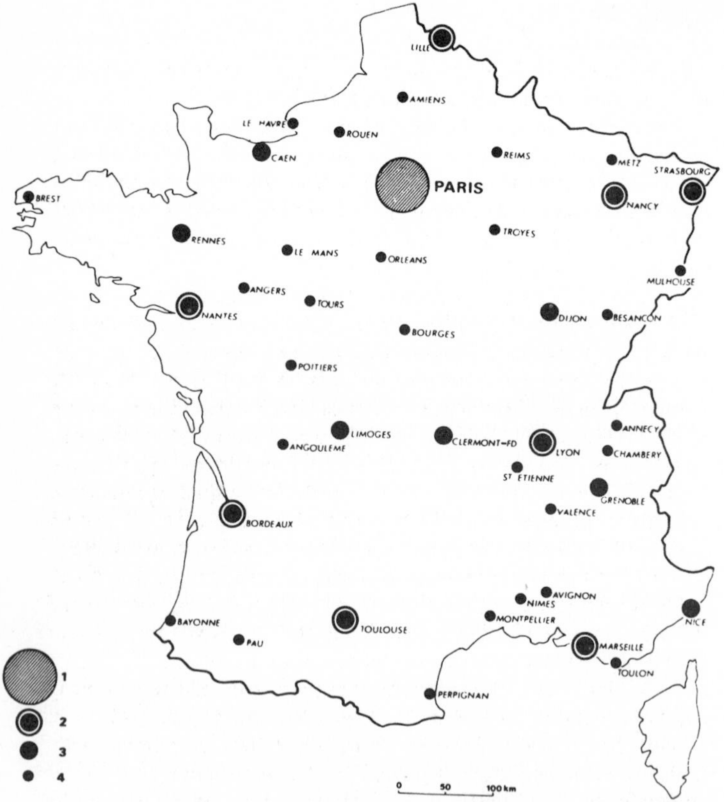

**Fig. 31. — Les villes françaises
exerçant des fonctions régionales**

1. Capitale nationale.
2. Capitale régionale.
3. Ville pouvant être assimilée à une capitale régionale.
4. Autre ville ayant un rôle régional plus réduit.

Les résultats

Si on retient ce principe de division régionale et ces modalités d'application, quels résultats obtient-on?

Les grandes villes ayant de véritables fonctions régionales sont au nombre d'une quinzaine sur les quarante environ qui exercent, avec plus ou moins de force, une certaine action régionale en raison du niveau de leurs équipements tertiaires. Ces villes ne sont pas des centres de décisions, mais ce sont des centres disposant d'équipements assez complets dispensant la population du recours à la capitale pour la plupart des biens ou services (fig. 31).

Parmi ces villes, *les métropoles d'équilibre* viennent évidemment en tête. Elles sont au nombre de huit, rappelons-le. Ce premier groupe est cependant hétérogène : les différences de puissance démographique et économique vont de 1 à 4 entre la moins forte et la plus forte. Les plus proches de la capitale sont les plus faibles, compte tenu de leur taille : Nancy et Nantes ont les équipements les moins fournis; Lille ne doit sa force relative qu'à la puissance industrielle du Nord et à la population dense de la région. Les plus éloignées de Paris — Strasbourg, Toulouse, Bordeaux, Marseille et surtout Lyon — sont les mieux équipées compte tenu de leur taille.

Viennent ensuite *sept autres villes qui peuvent être assimilées à des métropoles régionales.* Leurs équipements tertiaires sont un peu moins importants et leur rayonnement s'exerce sur des espaces moins étendus, mais elles ont néanmoins une réelle influence régionale. Il s'agit de Rennes, Limoges, Clermont-Ferrand, Dijon, Grenoble, Montpellier et Nice. Les villes de Rouen et de Caen, malgré leur taille, ne peuvent être assimilées à des métropoles, car leurs équipements sont limités par la proximité de Paris; Rouen a tendance à être satellisée par la capitale dont elle n'est séparée que par une heure de trajet en chemin de fer; elle doit surtout sa taille à son développement industriel. Le même phénomène se produit pour Saint-Étienne qui est proche de Lyon.

D'autres villes exercent également un rôle assez important, mais elles disposent d'équipements plus réduits et leur influence dépasse rarement l'horizon d'un département. On ne peut les assimiler à des métropoles. On les considérera plutôt comme des centres de sous-régions. Ces villes sont particulièrement nombreuses dans le Bassin Parisien, dans la large couronne s'étendant entre 100 et 250 km de la capitale.

Les zones d'influence étendue de ces villes à fonctions régionales peuvent être tracées sans grande difficulté à partir des études faites sur le rayonnement de divers services.

On aboutit ainsi à une carte des espaces fonctionnels distinguant des régions ayant à leur tête une métropole ou une ville assimilable à une métropole et des sous-régions nettement plus réduites en étendue (fig. 32).

Reste enfin une opération plus délicate : trouver une correspondance entre les limites des régions et les limites départementales (fig. 33).

1. Pour les métropoles régionales, on peut faire correspondre les limites des départements et des zones d'influence étendue sans grandes déformations, car celles-ci sont étendues.

Lille et Strasbourg rayonnent chacune sur deux départements, Nancy sur quatre, Bordeaux sur sept, Toulouse sur huit et Lyon sur dix. Ce rayonnement s'exerce tantôt sans relais important comme dans le cas de Toulouse, le plus souvent avec le relais de centres régionaux : Metz en Lorraine, Mulhouse en Alsace, Toulon et Avignon en Provence; Angoulême, Pau et Bayonne dans le Sud-Ouest. La situation la plus complexe s'observe dans la région lyonnaise : l'influence de la métropole est relayée par celle de Grenoble, ainsi que par celles de Saint-Étienne, Valence, Chambéry et Annecy; outre les départements classés officiellement dans la région Rhône-Alpes, on a ajouté la Haute-Loire, plus orientée vers Saint-Étienne et Lyon que vers Clermont, ainsi que la Saône-et-Loire, plus tournée vers Lyon que vers Dijon; on appellera cet espace la « Région Lyonnaise ».

2. Pour les villes pouvant être assimilées aux métropoles régionales, la correspondance des limites est moins satisfaisante dans la mesure où les zones d'influence sont moins étendues. Puisqu'on a

considéré les espaces dépendant de Saint-Étienne et de Grenoble comme des sous-régions incluses dans la région de Lyon, le problème se pose pour six villes.

À l'ouest de la France, la situation n'est pas simple. Outre Nantes qui rayonne avec plus ou moins de force sur trois départements, Rennes exerce son influence sur deux départements et Brest sur un seul. En dépit de l'éloignement, l'influence de Paris est plus sensible que sur les autres espaces périphériques. Faute d'un pôle dont la prééminence est incontestable, il semble préférable de considérer une région « Ouest » organisée par les trois villes principales.

La situation est un peu comparable dans le centre-est, entre la Région Lyonnaise d'une part, la Lorraine et l'Alsace d'autre part. Deux villes ont une influence assez forte, Dijon et Besançon, mais seule la première peut être assimilée à une métropole régionale. On admettra que cet espace forme la région Bourgogne-Franche-Comté dépendant de deux villes, mais plus précisément de Dijon.

Au centre de la France, Limoges et Clermont-Ferrand peuvent être considérées comme les capitales de deux régions comprenant trois départements chacune : le Limousin et l'Auvergne, non compris la Haute-Loire pour cette dernière.

Le long de la façade méditerranéenne, outre la Provence, deux autres régions doivent être distinguées. Le Languedoc-Roussillon est sous l'influence de Montpellier dont l'action s'exerce assez nettement sur trois départements. Le cas de l'Aude est délicat car ce département est nettement partagé entre les influences de Toulouse et de Montpellier ; on l'a finalement rattaché à cette dernière en raison de la solidarité croissante qui se manifeste sur toute la façade littorale avec l'aménagement touristique et l'ouverture de l'autoroute du Languedoc. De même on a rattaché les Pyrénées-Orientales à Montpellier pour les mêmes raisons : il s'agit d'un espace assez isolé, relativement autonome, ayant à sa tête un centre sous-régional et dont les liens avec Toulouse et Montpellier sont faibles ; cependant les relations entre Roussillon et Languedoc tendent à se renforcer peu à peu. Au sud-est de la France enfin, Nice est une autre capitale régionale dont l'influence s'exerce essentiellement sur les Alpes-Maritimes, et plus faiblement, sur la Corse

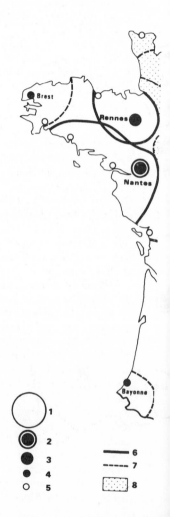

Fig. 32. — L'organisation régionale de la France

1. Capitale nationale.
2. Capitale régionale.
3. Ville pouvant être assimilée à une capitale régionale.
4. Ville ayant un rôle régional plus réduit.
5. Autre agglomération importante mais sans fonction régionale bien nette.
6. Région ayant à sa tête une capitale régionale ou une ville assimilée.
7. Sous-région ayant à sa tête une ville à fonction régionale plus réduite.
8. Influence régionale étendue de Paris.

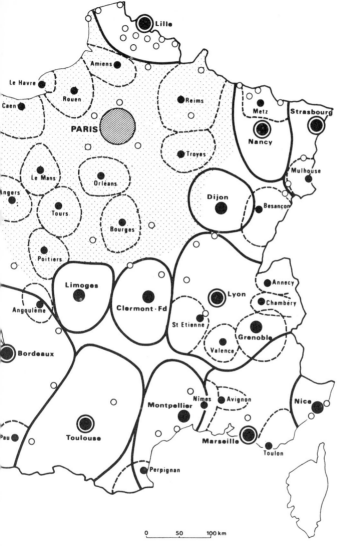

Fig. 33. — Division de la France en régions géographiques par adaptation au découpage départemental

et l'est du Var; les relations avec ces deux derniers départements étant malgré tout limitées, on considérera une région « Côte d'Azur » formée par un seul département.

3. Le cas de la Corse est particulier. Son éloignement crée une situation originale. Pour satisfaire ses besoins en biens et services de niveau élevé, la population fait appel à Nice ou à Marseille, plus souvent à la première qu'à la seconde; mais la distance est telle, avec l'une ou l'autre ville (170 km de Calvi à Nice, 300 d'Ajaccio à Marseille) que les liens sont forcément réduits. Pour la plupart des services, la population doit se contenter de ce qui existe sur place malgré l'insuffisance manifeste de certains équipements.

Le principe de division qui a été adopté n'est donc plus applicable ici. La Corse n'est ni une région, ni une sous-région au sens où ces mots ont été utilisés jusqu'à présent. Son éloignement, l'absence d'un centre régional et un indéniable particularisme culturel en font un espace particulier à l'intérieur du territoire national.

4. Il reste enfin à indiquer les limites de la zone d'influence régionale étendue de Paris, de la grande région parisienne.

On ne peut le faire que négativement. Le rayonnement régional de la capitale cesse quand apparaît celui d'une autre métropole. C'est donc l'espace qui s'étend de la Bretagne à la Lorraine et du Nord à l'Auvergne. Il couvre 32 départements. Pour éviter toute confusion de cette grande Région Parisienne avec la Région Ile-de-France du découpage administratif, on l'appellera « Bassin Parisien » mais en donnant à cette appellation un sens économique et non géologique. Cet espace est très vaste. Il s'étend en effet jusqu'à 200-250 km de la capitale et même un peu plus au sud-ouest. Aucune métropole ou ville assimilable à une métropole n'a pu s'y développer. Ni Rouen, ni Caen, ni Tours, ni Reims ne sont en mesure de jouer ce rôle. Sans doute ces villes assurent-elles pour l'essentiel la satisfaction des besoins de la population — on l'a vu pour la Basse-Normandie —, mais elles ne peuvent satisfaire certaines demandes des particuliers ou des entreprises.

Cet espace très étendu fait apparaître l'actuelle Région Ile-de-France comme ridiculement étriquée. Celle-ci ne couvre même pas la zone de travail animée d'intenses migrations quotidiennes!

Tableau 3

DONNÉES STATISTIQUES ESSENTIELLES SUR LES RÉGIONS GÉOGRAPHIQUES

Régions	Superficie (milliers de km²)	Population 1982 (millions d'habitants)	Production* 1980 (milliards de francs)	Superficie	Population 1982	Production 1980
				Part dans l'ensemble de la France		
BASSIN PARISIEN	165,5	20,4	1 248	30,4 %	37,7 %	47,8 %
NORD	12,4	3,9	164	2,3	7,3	6,3
LORRAINE	23,5	2,3	104	4,3	4,3	4,0
ALSACE	8,3	1,6	79	1,5	2,9	3,0
BOURGOGNE-FR.-COMTÉ	31,2	1,6	70	5,7	2,9	2,7
RÉGION LYONNAISE	57,2	5,8	267	10,5	10,7	10,2
AUVERGNE	21,0	1,1	45	3,9	2,0	1,7
LIMOUSIN	16,9	0,7	27	3,1	1,3	1,0
OUEST	40,8	3,2	123	7,5	5,9	4,7
SUD-OUEST	54,2	3,5	143	10,0	6,5	5,5
MIDI-PYRÉNÉES	45,4	2,3	86	8,3	4,3	3,3
LANGUEDOC-ROUSSILLON	27,4	1,9	71	5,0	3,6	2,7
PROVENCE	27,2	3,1	145	5,0	5,7	5,5
CÔTE-D'AZUR	4,3	0,9	42	0,8	1,6	1,6
CORSE	8,7	0,2	5	1,6	0,4	0,2

* D'après *Écon. et Stat.*, 1983, n° 153 et documentation fournie par l'I.N.S.E.E.

Imaginer, en 1956, qu'en divisant cet espace en plusieurs régions de programme, on allait limiter le dynamisme et la puissance de la capitale, relevait purement et simplement de l'illusion. Si on veut considérer la réalité économique, si on veut agir sur elle, si on souhaite obtenir une unité de vue dans l'aménagement, c'est le Bassin Parisien qu'il faut considérer et non d'artificielles « régions » autour de Paris.

Au total, on obtient une division en *quinze sous-espaces* dont le tableau 3 fournit les caractéristiques majeures. Les noms retenus sont tantôt les appellations officielles et tantôt des appellations différentes.

Ces régions ont des dimensions, des populations et des puissances économiques très inégales. On ne saurait en être surpris dans la mesure où les métropoles régionales forment une gamme extrêmement différenciée : la ville de Limoges est cinquante fois moins peuplée que la puissante agglomération parisienne.

Le nombre des régions retenues est sensiblement inférieur à celui du découpage officiel, mais il se rapproche de celui de pays européens comparables par leur population. La Grande-Bretagne est divisée en onze régions; l'ancienne Allemagne de l'Ouest aussi; l'Italie est partagée en dix-neuf régions, mais plusieurs d'entre elles ne sont que de pseudo-régions dans le centre et le sud de la péninsule. Des différences importantes doivent cependant être notées : *les régions françaises sont en général plus étendues, moins peuplées et plus faibles que leurs homologues allemandes, anglaises ou italiennes. Les métropoles régionales y sont moins fortes et moins équipées.* Ces particularités viennent de la faible population de la France et de la relative faiblesse des grandes villes de province. Les structures spatiales sont, en définitive, très marquées par les héritages de l'histoire.

LECTURES

BAGUENARD (J.), *La décentralisation*, Paris, P.U.F., (Coll. Que sais-je?), 1985, 124 p.

BRONGNIART (P.), *La Région en France,* Paris, A. Colin, coll. U 2, 1971, 128 p.

DAYRIES (J. J. et M.), *La Régionalisation,* Paris, P.U.F., (*Que sais-je?* n° 1719), 1978, 128 p.

KAYSER (B. et J. L.), *95 régions..,* Paris, éd. du Seuil (coll. « Société »), 1971, 144 p.

LANVERSIN (J. de), *La Région et l'aménagement du territoire,* Paris, Libr. Techn., 1979, 435 p.

La France et ses régions, Paris, I.N.S.E.E. (annuel).

La Région, n° spéc. 158-159 des *Cahiers Français,* Paris, Doc. Fr., 1973, 96 p.

LIVET (G.), *Régions et régionalisme en France du xviiie siècle à nos jours,* Paris, P.U.F., 1977, 594 p.

PIATIER (A.), « Existe-t-il des régions en France? », *Rev. Jurid. et Econ. du Sud-Ouest,* Bordeaux, 1966, n° 4, p. 751-768.

Statistiques et indicateurs des régions françaises, *Les Coll. de l'I.N.S.E.E.* (série R) (annuel).

CHAPITRE 6

LES LIGNES DE FORCE DE L'ESPACE FRANÇAIS

Les grands centres urbains ne doivent pas être considérés isolément. Ils sont reliés les uns aux autres par un système de transports. Ils sont à l'origine d'importants flux d'hommes et de marchandises. Là où les flux sont particulièrement massifs et variés, le développement industriel et urbain qui les engendre se trouve évidemment favorisé : les grands axes sont jalonnés de zones d'activités, d'agglomérations et de longues bandes urbanisées; l'expansion y a souvent été vive depuis une vingtaine d'années. Au contraire, là où l'activité économique est faible, l'urbanisation est réduite, la circulation est limitée et, dans la mesure où elle est limitée, elle constitue un facteur de stagnation et parfois de recul.

Aussi la connaissance des grands axes de circulation a-t-elle de l'importance pour la compréhension de l'espace : ce sont les axes de développement, ce sont les lignes de force du territoire français.

Les grands axes de circulation

— Un petit nombre de lignes privilégiées —

Les réseaux de transport sont, en France, remarquablement denses et ramifiés, compte tenu du nombre d'habitants. Malgré les fermetures de nombreuses voies ferrées, il y a encore 34 000 km de lignes en service, environ 6 km pour 10 000 habitants.

Pourtant, cette bonne desserte de l'espace ne doit pas faire illusion. Beaucoup de voies sont inadaptées au trafic actuel. Ce dont la France a besoin aujourd'hui, pour écouler un trafic massif et diversifié, ce sont des voies rapides ou à gros débit.

Les divers réseaux de circulation

Une évolution très nette a eu lieu depuis la Seconde Guerre mondiale : le trafic a considérablement augmenté et l'importance relative des divers moyens de transport a changé.

La route est devenue le moyen le plus utilisé : en 1985, elle a assuré plus des 2/5 du trafic des marchandises et plus des 4/5 des déplacements de personnes. Le développement de la circulation a été fantastique : avec 27 millions de véhicules, le parc français est le plus important d'Europe; le trafic routier a été multiplié par quinze depuis 1950. Mais le dessin du réseau n'a pas changé; il reste, pour l'essentiel, un héritage des siècles passés : la centralisation politique lui a donné un caractère nettement étoilé pour la plus grande partie de la France; les grands itinéraires transversaux sont rares, mise à part la route Bordeaux-Marseille, qui est d'ailleurs étroitement guidée par le relief; la France de l'ouest est encore défavorisée par rapport à celle de l'est. Le réseau d'autoroutes, dont la construction n'a démarré qu'avec beaucoup de retard, dans les

années 60, aurait pu corriger le caractère excessivement centrali-
sateur du vieux réseau de routes nationales; il n'en a rien été; le
souci de la rentabilité a amené l'administration à le calquer sur celui
des voies routières à fort trafic; la partie ouest du pays est encore
peu équipée de ce fait; le Massif Central sera en grande partie
délaissé en raison de la faiblesse prévisible du trafic. Sur les diverses
voies routières et autoroutières, les flux les plus considérables sont
observés au voisinage de Paris; ensuite viennent les axes allant de
Paris à Lille ou à Marseille, puis quelques tronçons dans le Nord,
la Lorraine, l'Alsace, la Région Lyonnaise ou le long de la côte
provençale. Les flux les plus faibles sont ceux du Massif Central.

Le chemin de fer a souffert de la préférence accordée à la route
par le gouvernement aussi bien que par le public pendant les années
50 et 60. Il reste néanmoins un moyen de transport fortement utilisé :
il assure environ 1/3 du trafic des marchandises. Ici encore, le dessin
du réseau est un legs du passé; il a été conçu au xixᵉ siècle avec des
objectifs plus souvent politiques qu'économiques; la convergence
vers Paris est extrêmement accentuée et elle est encore renforcée,
pour les marchandises, par le système de tarification qui est à
l'avantage des lignes à gros débit. Le trafic a tendance à se concentrer
sur quelques itinéraires de plaine, aux tracés rectilignes et aux pentes
faibles. Pour les voyageurs, c'est surtout la ligne Paris-Lyon-
Marseille qui apparaît comme l'élément essentiel du réseau; viennent
ensuite les lignes desservant les villes de la «couronne» parisienne
ou quelques grands centres à partir de la capitale (fig. 34). Pour les
marchandises, ce sont les lignes de la moitié orientale du territoire :
Paris-Marseille et les voies reliant les foyers d'industrie lourde du
Nord et du Nord-Est. En revanche, le trafic est faible — et parfois
en régression — dans une partie importante de l'ouest et des massifs
montagneux; ici encore le Massif Central apparaît comme une zone
très peu animée et très mal desservie.

Les voies navigables ont moins d'importance aujourd'hui que par
le passé : elles n'assurent plus qu'une très petite partie du trafic de
marchandises. Cela vient en grande partie du fait que le réseau est
vétuste et inadapté aux besoins actuels, hormis les principaux cours

a

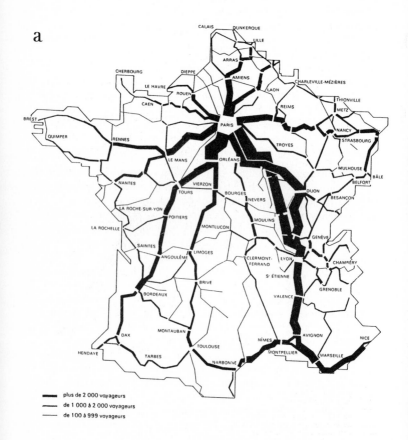

━━━ plus de 2 000 voyageurs
─── de 1 000 à 2 000 voyageurs
─── de 100 à 999 voyageurs

Fig. 34. — Le trafic ferroviaire

a. Trafic de voyageurs en 1986 (débit journalier)

Source : Statistiques et indicateurs des régions françaises, *Les Coll. de l'INSEE,* (R 68-69), 1988.

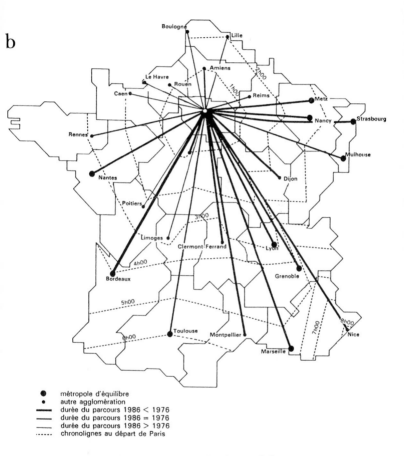

b

Fig. 34. — Le trafic ferroviaire

b. Durée minimale du parcours à partir de Paris en 1987

Source : Statistiques et indicateurs des régions françaises, *Les Coll. de l'INSEE,* (R 68-69), 1988.

d'eau et quelques canaux modernisés. Par rapport à certains de ses voisins du continent, la France a un sérieux retard, mais il faut dire qu'aucun aménagement n'a été réalisé pendant toute la première moitié du xxᵉ siècle. Le réseau, de toute façon, couvre très inégalement le territoire : on le trouve essentiellement dans la partie orientale, la plus industrialisée. Le trafic de masse est limité à quelques centaines de kilomètres : le Rhin, la Moselle, l'Oise et surtout la Seine en aval de Paris.

On ne saurait aujourd'hui ignorer les oléoducs. Ils contribuent à acheminer de très, grosses quantités d'hydrocarbures. Les plus importants sont ceux qui vont du Havre à la Région Parisienne et de Lavéra à la frontière allemande.

Quant au trafic aérien intérieur, il a été long à se développer, mais il commence à prendre beaucoup d'importance, du moins à partir de Paris. Le dessin rayonnant des lignes est ici très accentué (fig. 35) : les principales sont celles qui relient la capitale à Nice et Marseille. Toutes les autres liaisons de quelque importance sont également radiales. Les lignes transversales ne représentent encore qu'une petite partie du trafic.

Les flux majeurs

Quand on examine l'ensemble des réseaux, plusieurs traits significatifs apparaissent (fig. 36).

Le plus caractéristique est le *caractère nettement étoilé du système de transport* qui est *vigoureusement centré sur Paris*. La polarisation apparaît ici comme particulièrement forte. Même en Angleterre, elle est loin d'être aussi accentuée.

La dissymétrie entre l'ouest et l'est de la France, de part et d'autre de la ligne joignant la Basse-Seine au Bas-Rhône, est également très nette. La France occidentale a peu de routes ou de voies à gros trafic, peu d'autoroutes, pratiquement pas de voies navigables. La France orientale apparaît plus favorisée : voies ferrées à gros trafic, trains à grande vitesse, amorce d'un réseau d'autoroutes, presque toutes les voies navigables, principaux oléoducs et lignes aériennes les plus fréquentées.

a

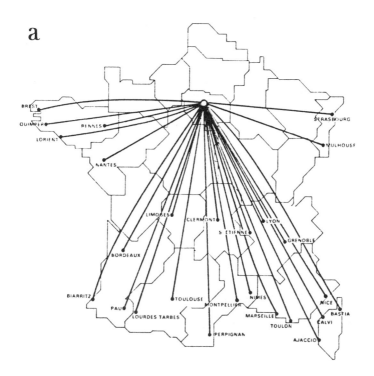

Fig. 35. — Les lignes aériennes intérieures

a. Lignes radiales principales (*Air France, Air Inter*)

Source : Statistiques et indicateurs des régions françaises, *Les Coll. de l'INSEE* (R 68-69), 1988.

b

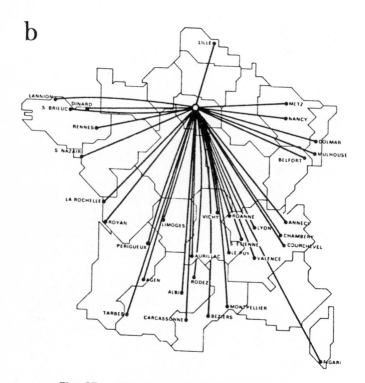

Fig. 35. — Les lignes aériennes intérieures

b. Lignes radiales secondaires (compagnies régionales)

Source : Statistiques et indicateurs des régions françaises, *Les Coll. de l'INSEE* (R 68-69), 1988.

C

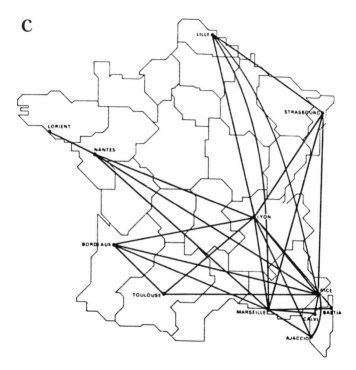

Fig. 35. — Les lignes aériennes intérieures

c. Lignes transversales (compagnies régionales)

Source : Statistiques et indicateurs des régions françaises, *Les Coll. de l'INSEE* (R 68-69), 1988.

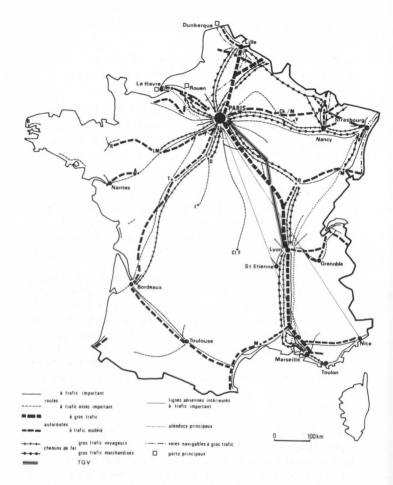

**Fig. 36. — Les principaux axes de circulation
de la France en 1984**

Trois axes majeurs desservent le territoire :

1. *L'axe Paris-Le Havre*, qui suit la vallée de la Seine et qui est très complet avec son ensemble de moyens de transport à gros débit, spécialement pour les marchandises. Rien d'étonnant, puisque c'est l'axe reliant Paris à la mer.

2. *L'axe Paris-région du Nord* est également bien équipé tout en étant moins diversifié : il lui manque une voie d'eau à gros gabarit; il est formé en réalité d'une série de lignes à quelque distance les unes des autres; il a moins d'importance que le précédent pour les marchandises.

3. Enfin, *l'axe Paris-Marseille* a un très gros trafic routier et ferroviaire, mais il manque d'une bonne voie d'eau dans la traversée des plateaux bourguignons; il se prolonge par quelques voies importantes en Provence et en Languedoc; il comporte un gros nœud de communications, le seul vraiment important de la province : le carrefour lyonnais.

Ces axes majeurs relient les quatre plus grands pôles urbains français : Paris, Lyon, Marseille et Lille. Aux extrémités se trouvent trois grands ports français assurant à eux seuls plus des 4/5 du commerce extérieur : Marseille, Le Havre et Dunkerque. Ces axes correspondent à des traits importants du relief : les vallées de la Seine, de l'Oise, de la Saône et du Rhône; le seuil du Cambrésis est facilement franchi, car il est à peine sensible; le seuil de Bourgogne rend un peu plus difficile le parcours Paris-Marseille : il a surtout empêché l'établissement d'une grande voie navigable. Ces axes majeurs ont été les premiers à bénéficier des trains rapides, des autoroutes et des oléoducs. Selon toute vraisemblance, ils concentreront une part encore plus grande des trafics dans les années à venir et ils bénéficieront des équipements les plus modernes; depuis 1982, le tronçon Paris-Lyon est pourvu d'une voie ferrée nouvelle, à très grande vitesse, mettant la métropole rhodanienne à deux heures de la capitale et diminuant nettement le temps de transport entre Paris et le quart sud-est du territoire. Cette ligne a eu un succès immédiat et elle a dû très vite faire face à un important trafic.

Peu après l'ouverture du grand marché européen en 1993, une ligne similaire reliera Paris au nord de la France et, au-delà, à Bruxelles, Amsterdam, Cologne et Londres grâce au tunnel sous la Manche. Cette ligne deviendra essentielle pour la France et ses voisins.

Plusieurs autres axes apparaissent également, mais supportant des trafics moins massifs et moins diversifiés : à partir de Paris encore, il existe un axe dirigé vers la Loire moyenne et au-delà vers Bordeaux, un autre orienté vers Le Mans, un autre encore conduisant vers le nord-est de la France. La décision de construire le t.g.v.-Atlantique a été plus politique qu'économique. Cet équipement corrige de façon heureuse le retard de la France de l'ouest en matière de communications rapides mais il est beaucoup moins rentable que le t.g.v. sud-est et son trafic est nettement moins important.

Dans le reste du pays, il n'y a rien de comparable, sauf quelques tronçons dans le Nord, la Lorraine et l'Alsace, mais moins complets, plus courts et ayant une direction orthogonale par rapport aux directions précédentes : les deux tronçons du nord-est, le long de la Moselle et du Rhin, sont des fragments du très puissant axe rhénan.

Lignes de force et organisation de l'espace

— Des éléments de dynamisme et de structure
pour les régions —

Par les effets qu'elles ont sur les activités, sur la population, sur les liaisons, les lignes de force qui viennent d'être reconnues contribuent à différencier et à organiser l'espace.

Engendrés par les grandes agglomérations, *les axes majeurs stimulent les activités économiques*, plus ou moins, sur toute leur longueur en raison des avantages qu'ils offrent pour la circulation des hommes et des produits. Et cet effet stimulant concerne une bande plus ou moins large le long des axes.

Les activités tertiaires sont favorisées, et plus particulièrement celles qui touchent aux transports. Par exemple, dans presque toutes les agglomérations situées le long des axes qui relient Le Havre et Marseille, la population active travaillant dans la branche « transport » est nettement plus importante que dans la moyenne des villes : non seulement dans les villes portuaires, mais dans les autres centres comme Paris, Dijon, Lyon, Valence ou Avignon. Les activités commerciales en reçoivent aussi une certaine impulsion.

L'industrie est plus nettement favorisée dès lors que la réception des produits utilisés et l'évacuation des marchandises fabriquées sont facilitées. Les autoroutes n'ont pas encore un rôle considérable en France dans les localisations industrielles, mais ce rôle commence à se faire nettement sentir. L'influence des voies ferrées et navigables à gros trafic est singulièrement plus forte. Les cours d'eau accessibles aux grosses péniches ont attiré maintes usines, et pas seulement celles qui sont classées dans les industries lourdes. Par exemple, l'usine Renault de Billancourt a décentralisé trois de ses établissements le long de la Seine : à Flins près de Mantes, à Cléon près d'Elbeuf et à Sandouville près du Havre.

L'agriculture enfin est nettement favorisée dans la mesure où les marchés lointains sont plus facilement et plus rapidement accessibles le long des grands axes. L'avantage est net pour certains produits périssables comme les fruits : l'exemple le plus probant à ce point de vue est celui de la vallée du Rhône.

Dans la mesure où ils facilitent l'expansion économique, *les axes majeurs activent l'urbanisation.*

Celle-ci y prend presque toujours un caractère linéaire. Les vallées de l'Oise, du Rhin, de la Seine en aval de Montereau, de la Saône en aval de Mâcon et du Rhône en aval de Lyon présentent une succession à peu près ininterrompue de zones de peuplement industriel et urbain (fig. 8).

L'analyse de l'évolution de la population dans les zones urbaines depuis 1954 montre que le long des grands axes la croissance a généralement été bien plus vive que partout ailleurs. La plupart des lignes de force du territoire ont été des lignes où l'expansion économique et démographique s'est particulièrement fait sentir.

Indiquons enfin que *les grands axes comptent parmi les principaux éléments structurants des régions* telles que nous les avons reconnues.

C'est tout spécialement le cas pour le Bassin Parisien qui est traversé par les trois axes majeurs du territoire, par trois autres lignes importantes et diverses voies secondaires. La structure est ici très nettement rayonnante, comme autour de Londres, mais avec plus de netteté encore. C'est la partie la plus favorisée du territoire en ce qui concerne la desserte en voies de communications.

Les régions situées au nord et au nord-est sont également traversées par des axes importants : l'axe Strasbourg-Mulhouse pour l'Alsace, l'axe mosellan pour la Lorraine, plusieurs axes orthogonaux pour le Nord. La région Bourgogne-Franche Comté est moins avantagée; elle est toutefois bordée par le grand axe Paris-Méditerranée et parcourue par un axe secondaire allant de Dijon à la porte d'Alsace. La Région Lyonnaise bénéficie de l'axe rhodanien, et elle a eu assez de force pour susciter une amorce de système étoilé composé de voies importantes notamment vers Saint-Étienne, Grenoble et Genève. Les trois régions de la façade méditerranéenne s'articulent très nettement sur l'axe qui borde le littoral.

Les autres régions sont nettement désavantagées. Il n'existe aucun axe vraiment important dans la France de l'ouest et du centre. Le plus important, celui qui relie Bordeaux à Paris, vient assez nettement derrière les précédents pour l'importance du trafic malgré la mise en service du t.g.v.-Atlantique. Les régions Ouest, Aquitaine, Midi-Pyrénées, Limousin et Auvergne n'ont que des axes d'importance secondaire à l'échelle du territoire, dont la fonction essentielle est de les relier à Paris.

L'organisation des régions par rapport aux grands axes de circulation fait apparaître à nouveau la dissymétrie est-ouest de la France.

LECTURES

ANDRIEU (H.), *Atlas des transports de marchandises*, Paris : La Doc. Franç., 1984, 2 t.

AUPHAN (E.), « Les nœuds ferroviaires, phénomène résiduel ou points forts », *L'Esp. géogr.,* 1975, 2, p. 127-140.

CHESNAIS (J.), *Transport et espace français,* Paris, Masson, 1981.

DERYCKE (H.) et PLAND (A.), *Transports et aménagement du territoire. Réflexions sur le rééquilibrage Est-Ouest,* Paris, Doc. Franç., 1977, 103 p.

PINCHEMEL (Ph.), *La France,* Paris, A. Colin, t. 2, 2ᵉ éd. 1984, 416 p.

Statistiques et indicateurs des régions françaises, Paris, I.N.S.E.E. (Coll. « Insee résultats », nᵒˢ 49-51), 1992, 522 p.

CHAPITRE 7

LES DÉSÉQUILIBRES DE L'ESPACE FRANÇAIS

Après l'étude des points forts et des grands axes, il faut analyser un autre aspect fondamental de l'espace français : ses déséquilibres.

La dissymétrie est-ouest du territoire a été soulignée à propos de la circulation, des réseaux de communications ou encore de l'organisation des régions par rapport aux axes majeurs. Elle touche en fait bien d'autres aspects. Les régions françaises ont connu une évolution assez dissemblable depuis les débuts de l'industrialisation. Elles présentent de sérieuses différences quant à la structure et au niveau des activités, à l'importance du peuplement, à l'intensité de l'urbanisation, à la composition socio-professionnelle, à l'instruction ou encore au niveau de vie. D'une région à l'autre, il y a même de véritables déséquilibres.

Il n'en était pas de même autrefois. Dans la France de l'Ancien Régime, les disparités étaient peu marquées, la population était répartie de façon assez régulière et l'urbanisation était partout modérée; Paris, tout en étant déjà une très grande ville, ne rassemblait que la cinquantième partie des Français. Les niveaux de développement économique différaient assez peu d'une province à l'autre, car l'agriculture était partout l'activité dominante et parce que les activités artisanales et manufacturières étaient relativement ubiquistes... Aujourd'hui, la situation est profondément différente. Le développement économique a été considérable depuis un siècle et demi, mais il a été plus rapide et plus vigoureux dans certaines parties du territoire que dans d'autres; plusieurs régions sont fortement urbanisées, modernisées; d'autres sont restées plus rurales, peu dynamiques, quelque peu traditionnelles. Quant à la capitale, elle est devenue énorme et elle s'oppose de façon saisissante au reste du territoire.

La distribution spatiale de la production

— De fortes inégalités à l'intérieur du pays —

Des déséquilibres variés

C'est incontestablement le *déséquilibre Paris-province* qui apparaît en premier lieu. Il saute aux yeux quand on examine la carte économique de la France (fig. 8) : la Région Ile-de-France qui compte près du cinquième de la population, fournit à elle seule plus du quart du produit intérieur brut[1]; cette part est encore plus forte pour certaines branches de l'industrie ou du tertiaire : pour l'automobile, l'industrie électrique, la presse, l'édition ou les banques, elle dépasse 40 % du total national. La productivité moyenne par travailleur y est très supérieure à celle de la province; non seulement Paris constitue une énorme concentration d'activités, mais l'appareil économique y est, en moyenne, plus moderne et plus productif que dans le reste de la France.

Pour être moins accusé, le *déséquilibre est-ouest* à l'intérieur de la province n'est pas moins net. De part et d'autre d'une ligne allant en gros de l'estuaire de la Seine au delta du Rhône, la dissymétrie est nette. La France occidentale se trouve dans une situation moins

---

1. Agrégat utilisé par la comptabilité nationale et recouvrant l'ensemble de ce qui est livré par les producteurs individuels, les entreprises, les administrations et les établissements financiers. C'est l'agrégat qui mesure le mieux l'activité économique du pays.

favorable : le volume de la production est moins élevé, la taille des entreprises est en moyenne plus réduite que dans la France orientale; la productivité des travailleurs est plus faible, car l'industrialisation est moins forte et l'appareil productif moins modernisé.

Le *déséquilibre nord-sud* est différent. Il a été longtemps de nature démographique et socio-culturelle et il le reste encore. Dans la partie septentrionale, agglomération parisienne mise à part, la fécondité est un peu moins basse, la population est plus jeune, la scolarisation est moins longue et la formation professionnelle est moins élevée en moyenne. C'est l'inverse dans la partie méridionale. Toutefois, la différence prend peu à peu un caractère économique dans la mesure où plusieurs des régions septentrionales sont durement touchées par la crise, surtout le Nord-Pas-de-Calais et la Lorraine, tandis que l'expansion est assez forte dans les régions méridionales, surtout le Languedoc-Roussillon et la région Provence-Alpes-Côte d'Azur.

On résumera ces déséquilibres majeurs par quelques chiffres destinés à servir de référence par la suite :

Région	Superficie	Population 1990	Produit intérieur brut 1989
	(part dans le total national)		
Ile-de-France [2]	2,2 %	18,8 %	28,7 %
France de l'Est [2]	42,8	44,8	40,9
France de l'Ouest [3]	55,0	36,4	30,4

1. Région Ile-de-France du découpage en 22 régions.

2. Régions du découpage administratif situées à l'est de la ligne Basse-Seine/Bas-Rhône : Nord, Picardie, Haute-Normandie, Champagne-Ardennes, Lorraine, Alsace, Bourgogne, Franche-Comté, Rhônes-Alpes, Provence-Alpes-Côte d'Azur, Corse.

3. Basse-Normandie, Bretagne, Pays de la Loire, Centre, Poitou-Charentes, Limousin, Auvergne, Aquitaine, Midi-Pyrénées, Languedoc-Roussillon.

Il existe *d'autres déséquilibres* mais non perceptibles sur la carte économique de la France. Ils n'ont pas non plus la même ampleur, ni la même échelle. 1) Par exemple, un déséquilibre est apparu entre certaines régions frontalières et les pays voisins du fait de l'évolution divergente des économies ou des monnaies : l'attraction de la Sarre, du pays de Bade ou de la région de Bâle se fait nettement sentir sur la Lorraine du nord et l'Alsace; l'attraction de Genève se fait nettement sentir sur le pays de Gex et l'avant-pays savoyard; ces territoires voisins attirent les travailleurs français par leurs salaires plus élevés au point que le nombre des frontaliers s'élève à plus de 100 000; en revanche, les citadins des pays voisins achètent beaucoup de terrains et de maisons en territoire français; les régions frontalières se trouvent donc en situation de faiblesse en regard des pays voisins, particulièrement face à l'Allemagne et à la Suisse. 2) Un autre déséquilibre s'est manifesté depuis une vingtaine d'années entre les métropoles d'équilibre les plus dynamiques et les espaces régionaux environnants, car les premières ont connu une assez forte expansion, due notamment à l'essor des activités tertiaires tandis que les seconds ont tendance à voir diminuer le nombre de leurs emplois en raison du recul des activités agricoles : c'est très net pour Toulouse et la région Midi-Pyrénées.

Les déséquilibres selon les activités

Les derniers exemples montrent bien que les déséquilibres sont liés à l'évolution des activités. Or, depuis un siècle ou plus, les activités secondaires et tertiaires se sont bien plus développées dans certaines parties du territoire que dans d'autres. Il en résulte une distribution spatiale très inégale qu'on peut analyser en termes de population active ou de production.

En termes de population active, les inégalités apparaissent clairement.

Il en est ainsi pour la plupart des indicateurs relatifs aux catégories d'activité économique, aux catégories socio-professionnelles ou au statut des personnes ayant un emploi.

On en prendra une vue globale en considérant l'orientation économique dominante des départements (fig. 37). Six types peuvent être distingués. Les étiquettes retenues n'ont pas de valeur dans l'absolu : elles ont été choisies en fonction des écarts à la moyenne. La dissymétrie apparaît vigoureuse de part et d'autre d'une ligne allant de l'estuaire de la Seine au delta du Rhône, bien que la distribution soit en fait un peu plus compliquée; la ligne de partage est sinueuse : quelques départements font figure d'exception dans chacune des deux moitiés. Dans la partie occidentale, l'agriculture tient encore une place relativement importante : on trouve des départements à orientation agricole, ou agricole et industrielle ou encore agricole et tertiaire; quelques-uns, plus industrialisés ou urbanisés, se distinguent de l'ensemble comme la Loire-Atlantique, la Gironde et la Haute-Garonne. Dans la partie orientale, l'industrie a presque partout une place importante; les départements ont une orientation industrielle ou tertiaire ou mixte, à quelques exceptions près comme la Marne.

En termes économiques, les inégalités sont plus fortes encore. Elles affectent surtout l'industrie, le commerce et les services.

Le secteur secondaire représente une part décroissante du produit intérieur brut (48 % en 1969, 36 % en 1980, 30 % en 1989), mais la Région Ile-de-France constitue à elle seule un gigantesque foyer industriel. Un des plus gros du monde. Depuis le début du XIXe siècle jusqu'à une date récente, les conditions ont été presque constamment favorables à l'installation d'industries légères; la politique de décentralisation a mis fin au gonflement incessant de l'appareil industriel, mais la part de l'Ile-de-France dans l'ensemble de l'industrie française reste considérable : environ 26 % du produit brut de l'industrie en 1989. En province, le déséquilibre est très marqué de part et d'autre de la diagonale Basse-Seine/Bas-Rhône. La moitié occidentale, en dépit des progrès effectués depuis les années 70,

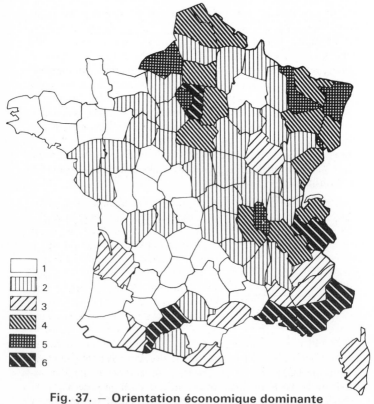

**Fig. 37. — Orientation économique dominante
des départements français en 1981**

1. Agricole.
2. Agricole et industrielle.
3. Agricole et tertiaire.
4. Industrielle.
5. Industrielle et tertiaire.
6. Tertiaire.

Selon M. Hannoun et G. Sicherman, *Econ. et Stat.,* 1983, 153, p. 66.

contribue seulement pour 28 % au produit, y compris le bâtiment; pour l'industrie seule, sa contribution est plus faible; elle ne manque pas de centres industriels, mais ceux-ci sont peu nombreux et de taille modeste en comparaison des pôles de l'est; les établissements sont rarement importants. Quant à la partie orientale, elle contribue pour près de la moitié au produit du secteur secondaire : 46 % en 1989, non compris la Région Ile-de-France; on y trouve non seulement des pôles industriels de bonne taille, mais des nébuleuses urbaines caractérisées avant tout par l'industrie; plusieurs de ces bassins industriels connaissent néanmoins de graves difficultés depuis une dizaine d'années en raison de la crise mondiale et de l'abondance relative de leur main-d'œuvre compte tenu des nouvelles technologies.

Le secteur tertiaire est devenu beaucoup plus important que le secteur secondaire, car la part du tertiaire ne cesse de progresser : 46 % du p.i.b. en 1969, 59 % en 1980 et 66,3 % en 1989, ce qui est vraiment remarquable. Ici encore, c'est la place considérable de la Région Ile-de-France qui constitue le caractère le plus frappant : près de 32 % du produit du secteur tertiaire en 1989, soit une proportion plus forte encore que pour l'industrie; le contraste avec les foyers provinciaux est encore plus accusé; depuis plusieurs siècles, les conditions ont été propices à la formation d'un très gros centre d'activités pour le commerce, les transports et les services; elles ne cessent d'être favorables en dépit des mesures prises ces dernières années pour faciliter la décentralisation des activités tertiaires. Pour le reste de la France, on note encore un sérieux déséquilibre au profit de la partie orientale qui contribue pour près de 39 % au produit du secteur tertiaire contre 30 % à la partie occidentale. Il y a certes de nombreux centres tertiaires à l'ouest mais ils sont, en moyenne, plus espacés et moins gros que ceux de l'est.

L'agriculture ne représente plus qu'une petite fraction du p.i.b. : 6 % en 1969, moins de 5 % en 1980 et seulement 3,6 % aujourd'hui. Les oppositions régionales sont inverses de celles qu'on note pour les autres secteurs : c'est la France de l'ouest qui contribue le plus fortement à la production (55 % du total); la part de la France de l'est est plus modeste (42 %). Rien de surprenant à cela : ce sont les plaines et les bas-plateaux qui ont ici l'avantage; et, surtout, c'est la France occidentale qui conserve les plus gros effectifs d'agriculteurs.

On obtient une meilleure vue des déséquilibres avec les variations dans l'espace de la productivité moyenne des actifs en rapportant le p.i.b. estimé de chaque département à la population active (fig. 38). Les écarts sont importants. Pour une moyenne égale à 100, l'indice de productivité dépasse 120 dans les départements de la Région Parisienne en 1969, alors qu'il est seulement de 60-70 dans nombre de départements du Massif Armoricain, du Sud-Ouest ou surtout du Massif Central. Les indices les plus faibles sont ceux des départements à orientation agricole, là où l'agriculture conserve des aspects traditionnels et où l'industrie est peu représentée. Les indices les plus élevés sont ceux des départements pourvus d'une industrie puissante et d'activités tertiaires de niveau élevé. La dissymétrie est-ouest apparaît avec évidence. Depuis lors, les écarts ont plutôt augmenté puisque l'indice de productivité est passé à 82 en moyenne, en 1989, pour la France de l'Ouest, à 92 pour la France de l'Est et à 152 pour l'Ile-de-France. Pour la région-capitale, l'indice ne cesse d'augmenter.

Inversion des déséquilibres?

La correction des déséquilibres économiques a commencé, mais elle demandera beaucoup de temps et d'effort. La politique d'aménagement du territoire ne peut modifier en quelques années une situation qui résulte d'un siècle et demi de libéralisme.

Cette situation peut être suivie grâce à la comptabilité économique régionale. Si on compare l'évolution de la production intérieure brute de 1962 à 1975, il apparaît que les déséquilibres ont augmenté de façon sensible au profit de la moitié orientale de la France et plus particulièrement au profit de la Région Ile-de-France. Les chiffres sont incertains, mais ils sont corroborés par ceux qui concernent la population active, la consommation ou les revenus.

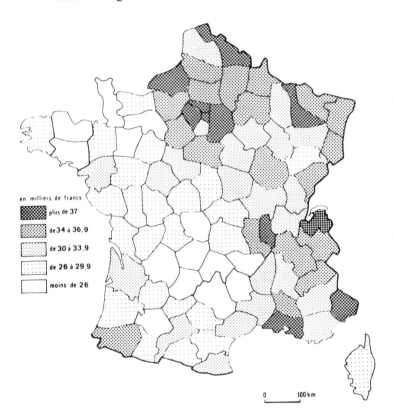

en milliers de francs

plus de 37

de 34 à 36.9

de 30 à 33.9

de 26 à 29.9

moins de 26

0   100 km

**Fig. 38. — Les variations spatiales de la productivité
du travail**

Produit intérieur brut par actif en 1969.

[D'après D. N., *L'Espace géographique,* 1973, n° 4.]

De 1962 à 1975, pour ces divers indices, la part de la Région Parisienne dans le total national a encore augmenté légèrement; il en est de même pour la France orientale; par contre, la part de la France occidentale a diminué sensiblement.

Il ne semble pas en avoir été de même depuis 1975. Avec la crise des industries anciennes, l'apparition de nouvelles activités industrielles et le développement des activités de service, d'importants changements ont été enregistrés. Bon nombre d'établissements industriels ont été implantés dans l'ouest et le sud de la France. La crise s'est aggravée dans les vieux bassins miniers et industriels du Nord et du Nord-Est. L'attraction de Paris a nettement diminué, tandis qu'un grand nombre de villes de province, surtout dans le Midi, ont acquis un rythme de croissance dont on ne les aurait pas crues capables auparavant. Les tendances précédemment notées ont donc été contrariées.

Quant aux migrations intérieures, elles connaissent désormais une nouvelle orientation. Alors que pendant des décennies elles ont été dirigées prioritairement vers Paris et secondairement vers les grands pôles industriels, elles ont pris très clairement une direction nord-sud pour le plus gros des flux; l'Ouest en bénéficie aussi mais dans une bien moindre mesure (fig. 39).

Peut-on parler d'inversion des déséquilibres? La formule a été utilisée mais elle est pour le moins excessive même si certaines tendances de la dynamique spatiale ont été nettement contrecarrées.

Il existe en fait deux types d'*espaces en crise :* c'est le cas non seulement des vieux bassins industriels mais aussi de maintes zones rurales, spécialement le long de la diagonale peu peuplée et peu urbanisée qui va de la Meuse à l'Ariège; il y a donc aussi des secteurs en difficulté dans le Midi. En contrepartie, il existe trois types d'*espaces en expansion :* la plupart des villes du sud et de l'ouest du fait de l'essor de diverses activités secondaires et tertiaires, les zones touristiques du littoral et des montagnes, enfin les zones de péri-urbanisation des agglomérations importantes et particulièrement celle de Paris; il y a donc aussi des secteurs en expansion dans la partie septentrionale.

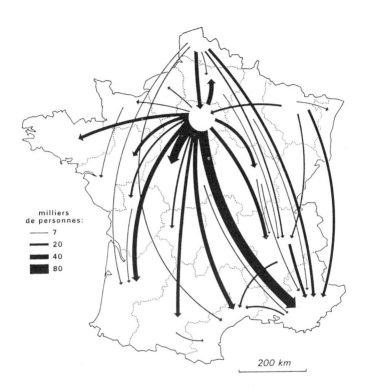

milliers
de personnes:

—— 7
—— 20
▬ 40
▬ 80

200 km

**Fig. 39. — Flux migratoires interrégionaux
entre 1975 et 1982**

Source RGP 82.
Seuls sont considérés les principaux soldes des mouvements migratoires
entre régions.

Une nouvelle dynamique du territoire est apparue au cours des années 70 qui peut difficilement être résumée par une formule simple. Quoi qu'il en soit, elle ne constitue pas, à proprement parler, une inversion des tendances anciennes. Quant au pôle majeur du territoire, il ne s'est pas affaibli au cours de la « crise ». Sa contribution au produit intérieur brut a même très légèrement augmenté puisqu'elle est passée de 27-28 % dans les années 60 et 70 à près de 29 % selon les dernières données disponibles pour la fin des années 80.

Les origines des principaux déséquilibres

— Une longue période de libéralisme —

Parmi les déséquilibres affectant l'espace français, certains ont une origine récente : les difficultés des zones charbonnières remontent à la fin des années 50, celles des zones textiles se placent à peu près à la même date, celles des bassins ferrifères et des vieux foyers sidérurgiques datent des années 60; les problèmes des régions frontalières du Nord-Est sont apparus à la fin des années 60.

Les déséquilibres majeurs du territoire français sont cependant plus anciens. Ils sont liés à l'évolution des activités pendant une longue période correspondant à celle de l'industrialisation.

Le déséquilibre Est-Ouest

Le déséquilibre est-ouest de la France s'apparente aux déséquilibres régionaux qui peuvent être notés dans divers pays voisins. En Angleterre, les comtés ruraux de l'ouest et les vieux pays noirs diffèrent profondément du Bassin de Londres. En Italie, la plaine du Pô s'oppose vigoureusement au Mezzogiorno, plus vigoureusement que l'ouest et l'est de la France. Ces différences de structure économique ne sont donc pas particulières à la France; elles sont parfois anciennes, mais elles se sont manifestées surtout depuis un siècle et demi avec l'industrialisation. Pour les comprendre, il faut faire appel à des facteurs qui diffèrent d'un pays à l'autre et souvent remonter aux origines du développement industriel.

Les facteurs naturels ont joué un rôle incontestable dans le cas de la dissymétrie Est-Ouest en France. La grande industrie a longtemps reposé sur l'utilisation du charbon comme source d'énergie; or les bassins houillers mis en exploitation étaient essentiellement situés dans la moitié orientale : Le Creusot, Saint-Étienne, le Nord et, plus tard, la Lorraine. Lorsque l'industrie a utilisé massivement certains produits extraits du sous-sol, les bassins localisés dans la partie orientale se sont révélés les plus productifs : le minerai de fer et le sel de Lorraine, la potasse d'Alsace, les bauxites de Provence. Quand l'électricité a commencé à être utilisée comme source d'énergie, ce sont les Alpes du Nord qui ont été favorisées. Les branches essentielles de l'industrie au cours de la première moitié du xxe siècle — les industries métallurgiques, électriques et chimiques — se sont donc développées principalement dans la moitié orientale de la France, à l'est d'une ligne allant de la Basse-Seine à la Région Lyonnaise.

Une autre partie importante de l'industrie, celle qui est directement liée à la consommation, s'est développée dans les grands foyers urbains de l'époque pré-industrielle. Or, la moitié est de la France avait déjà les agglomérations les plus importantes. Les industriels s'y sont installés plus volontiers parce qu'ils y trouvaient à la fois une main-d'œuvre habile, un large marché sur place, des facilités de communications et des réseaux commerciaux. Le fait est particulièrement manifeste pour Paris et Lyon qui ont attiré très tôt de nombreuses activités industrielles utilisant relativement peu de matières premières, mais fournissant des produits à haute valeur ajoutée.

La proximité a joué également un rôle important dans la diffusion de l'industrie, du moins au départ. La France du nord et de l'est a été avantagée par sa situation, car nombre d'innovations sont venues des pays qui la bordent de ce côté. Par exemple, les toiles peintes, les métiers mécaniques à tisser la soie et l'horlogerie moderne sont arrivés de Suisse : bien des nouveautés touchant à la sidérurgie, au matériel textile, à la construction navale ou aux chemins de fer sont venues d'Angleterre. Les innovations n'ont pas seulement concerné les techniques; elles ont modifié aussi les mentalités; la plupart des chefs d'entreprise ou des dynasties d'entrepreneurs ont été originaires de Paris, de Lyon, du Nord, de Lorraine ou d'Alsace. La bourgeoisie de ces régions s'est montrée beaucoup plus active, plus entreprenante que dans l'ouest ou le midi de la France. Si bien des aspects du processus d'industrialisation restent encore à éclaircir, il est certain que la proximité a joué un rôle important. Le nord et le nord-est ont été en contact avec les pays qui furent à l'origine des progrès industriels. Le centre et l'ouest de la France ont été défavorisés; le sud-ouest encore plus, car il était plus éloigné des foyers d'innovation, peu animé par les courants de circulation et adossé à un pays resté longtemps attardé. Certaines activités artisanales ou manufacturières ont même reculé ou disparu au siècle dernier dans la France rurale sous l'effet de la concurrence, particulièrement en Bretagne et dans le Languedoc.

Le déséquilibre est-ouest s'est donc manifesté peu à peu au cours de la période d'industrialisation lente qui a caractérisé le XIXᵉ et la première moitié du XXᵉ siècle. Ce sont les débuts du développement industriel qui ont été décisifs; ensuite, l'industrie attirant l'industrie, le mouvement a continué sur sa lancée.

Le déséquilibre Paris-province

Quant au déséquilibre Paris-province, il faut remonter plus loin pour en saisir les origines, mais il ne s'est vraiment manifesté qu'à partir du siècle dernier.

La formation de l'énorme pôle parisien est moins ancienne qu'on ne le croit généralement. Sans doute la capitale française a-t-elle toujours été une ville importante depuis le Moyen Age, mais ce n'était pas une ville très grosse; elle n'avait pas plus de 60 000 habitants à la fin du XIIIᵉ siècle. Elle commence à prendre une assez forte taille, lentement, entre les XVIᵉ et XVIIIᵉ siècles, sans toutefois être disproportionnée : sous le règne d'Henri IV, elle ne représente pas plus de 1,2 % de la population française; au lendemain de la Révolution, elle ne concentre encore que 2,1 % des Français; sans doute distance-t-elle largement Marseille et Lyon à cette époque avec une population cinq fois plus nombreuse, mais il n'y a là encore aucune anomalie.

L'hypertrophie ne date en fait que du XIXᵉ siècle. On peut s'en rendre compte aisément en comparant l'évolution démographique de la France et de sa capitale sur un diagramme semi-logarithmique (fig. 40 a). Il est visible que la pente des deux courbes n'a pas été très différente jusqu'à la Révolution; par contre, on note une grande disparité dans les rythmes d'évolution pour la deuxième moitié du XIXᵉ siècle et le début du XXᵉ siècle. Alors que la population de la France a connu une croissance lente, celle de Paris a été caractérisée par une croissance très rapide, spécialement sous la Monarchie de Juillet et le Second Empire. Le grand bond en avant date essentiellement de cette période. La part de l'agglomération parisienne dans la population nationale n'a cessé de croître de ce fait : de 2,8 % en 1830, elle est passée à 7,8 % en 1870, à 11,3 % en 1900 et à 16,2 % en 1936 (fig. 40 b); c'est seulement à partir de la Seconde Guerre mondiale que cette part s'est presque stabilisée.

Ces courbes éclairent les origines de l'hypertrophie de Paris. Le phénomène parisien est le résultat du cumul des effets d'une structure très centralisée, d'une industrialisation aux effets limités dans l'espace et d'un fléchissement de la vitalité démographique.

1. *La centralisation* est ancienne. Elle est liée à la formation de la nation française. Pourtant, sous l'Ancien Régime, l'appareil d'État n'était pas très lourd et la centralisation était modérée; c'est la Révolution et Napoléon qui ont fait triompher définitivement la tendance centralisatrice; ensuite, elle est restée inchangée sous les régimes successifs que la France a connus. La concentration des pouvoirs de décision a nettement favorisé la capitale, car elle a suscité un effet d'entraînement dans tous les domaines. Quant à la

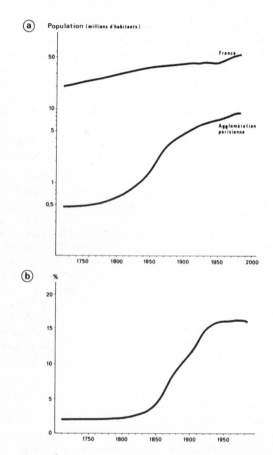

Fig. 40. — **Évolution de la population de la France
et de l'agglomération parisienne de 1715 à 1982**

a. Évolution en chiffres absolus.
b. Part de l'agglomération parisienne dans l'ensemble de la population
française.

départementalisation, elle a freiné la formation de pôles importants en province; les départements étaient trop petits pour former de véritables unités politiques et économiques; ils n'étaient, de toute façon, que les relais des décisions prises à Paris; Lyon était une simple préfecture tout comme Le Puy ou Bourg-en-Bresse; Marseille était à la tête d'un département tout comme Digne ou Mende. Pareil morcellement allait à contresens de l'évolution économique qui appelait la constitution d'espaces d'une certaine ampleur à l'intérieur des frontières nationales. Aussi, l'écart entre Paris et les autres grandes cités provinciales s'est-il creusé au cours du XIXᵉ siècle.

2. L'hypercentralisation n'aurait pas eu de tels effets sans les caractères spécifiques que *l'industrialisation* a pris en France. Partout, dans le monde, le développement industriel a engendré des déséquilibres dans la mesure où il a concerné des espaces limités; mais, dans la plupart des pays, il a favorisé la formation de plusieurs pôles ou bassins industriels. En France, le développement a été surtout le fait de Paris pendant une longue période allant de la Monarchie de Juillet à la Seconde Guerre et correspondant au capitalisme libéral. C'est pendant cette période que Paris est devenu un très gros foyer industriel et un très gros centre d'affaires. C'est aussi pendant cette période que Paris a consolidé son rôle de grande métropole intellectuelle. En dehors de la capitale, aucun pôle n'a reçu une impulsion vigoureuse; aucune ville n'a pu former un contrepoids à la différence de ce qui s'est passé en Angleterre par exemple.

3. La concentration parisienne a été d'autant plus lourde de conséquences par la suite qu'elle a coïncidé avec le fléchissement de la *vitalité démographique* du pays. A la fin du XIXᵉ siècle, la croissance de Paris représente à peu près les 4/5 de l'accroissement naturel de la France, quelques autres foyers absorbent le reste, tandis que la population diminue dans la plus grande partie du pays. C'est encore un autre caractère unique dans l'histoire des nations développées : en France, un seul pôle a mobilisé presque toutes les forces vives de la nation. C'est seulement après la Seconde Guerre mondiale que cette situation s'est modifiée avec le renouveau démographique et

un nouveau bond en avant, très important cette fois, de la croissance économique.

Il est difficile de démêler les raisons complexes qui ont provoqué la formation du déséquilibre Paris-province mais il apparaît assez clairement tout de même qu'il est dû autant aux caractères particuliers de la première phase de l'industrialisation qu'à l'organisation politique de la France.

Au total, déséquilibre est-ouest et déséquilibre Paris-province ont un point commun; ils ont commencé vraiment à se manifester lors des débuts du développement industriel, particulièrement pendant les années 1830-1870. Comme en Angleterre, en Belgique ou en Italie, ils sont surtout le produit du système capitaliste libéral de l'époque, du « laissez-faire » qui a amené industriels, banquiers et hommes d'affaires à s'installer là où les conditions étaient les plus avantageuses.

Les conséquences des déséquilibres économiques

— Des inégalités de toutes sortes —

Intrinsèquement, les déséquilibres économiques ne sont pas graves. Ils sont dans une large mesure inévitables, puisque certains lieux se prêtent mieux que d'autres à l'implantation d'activités nouvelles. Ce qui est grave, en revanche, ce sont les différences et les inégalités qu'ils entraînent. *Les conséquences des déséquilibres économiques sont multiples; elles concernent une quantité d'aspects : urbanisation, structure sociale, salaires, revenus, niveaux de vie et niveaux d'instruction.* A titre d'exemples, on en examinera quelques-uns parmi les plus significatifs.

Les niveaux de vie

L'analyse des informations statistiques fait apparaître des différences très sensibles dans les niveaux de vie :

Région	Population 1990		Consommation des ménages 1988
	part dans l'ensemble de la France %		indice France = 100
Ile-de-France	18,8	26,6	142
France de l'Est	44,8	41,2	92
France de l'Ouest	36,4	32,2	88

L'inégalité la plus frappante est celle qui oppose Paris à la province. L'avantage est sérieux pour la Région Ile-de-France qui offre des salaires plus élevés en moyenne et concentre une partie importante des couches aisées de la population française. A l'intérieur de la province, la partie orientale est plus avantagée que la partie occidentale; les chiffres les plus forts sont ceux des régions Alsace, Champagne, Rhône-Alpes et Provence-Côte d'Azur; les plus faibles sont ceux des régions Bretagne, Pays de la Loire et Poitou-Charentes.

On obtient une image un peu plus précise en utilisant des statistiques d'origine fiscale, mais on ne peut les manier qu'avec précaution : l'impôt sur le revenu est incertain en raison de la fraude; étant progressif, il est évidemment plus élevé, par habitant, là où la population est plus aisée en moyenne; il souligne donc les foyers de richesse (fig. 41). Bien entendu, les données se rapportent à l'ensemble de la population indépendamment de la différenciation sociale. Les lieux de concentration des hauts revenus sont de toute évidence les départements ayant une grande agglomération : c'est très net pour la Gironde, la Haute-Garonne ou le Rhône. La Côte-d'Azur apparaît comme un des principaux foyers de richesse en province : le chiffre des Alpes-Maritimes est le plus élevé des départements provinciaux. Mais le record est bien sûr détenu par la Région Ile-de-France. Les chiffres sont particulièrement élevés pour les Yvelines, les Hauts-de-Seine et Paris qui sont précisément les lieux de résidence ayant la faveur des famille riches. Par contraste, on notera la faiblesse de

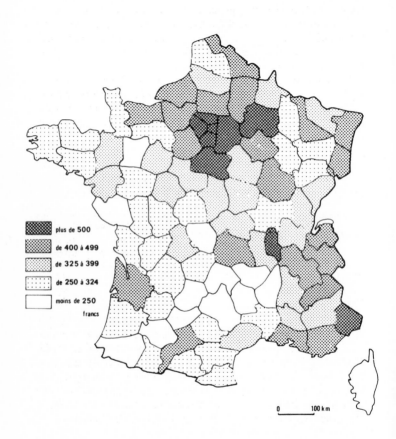

plus de 500

de 400 à 499

de 325 à 399

de 250 à 324

moins de 250
francs

0   100 km

Fig. 41. — Aperçu sur les différences de revenus

Impôt sur le revenu payé en moyenne par personne en 1970.

[D'après les chiffres du ministère des Finances dans *Stat. et ét. financ.*
sept. 1973.]

l'impôt sur le revenu dans certains départements ruraux de l'Ouest, du Sud-Ouest ou du Massif Central; elle n'est pas seulement due à la sous-déclaration des revenus; elle correspond incontestablement — d'autres indices le confirment — à des espaces où la masse de la population a un niveau de vie médiocre.

Ces observations peuvent faire penser que les différences de revenu d'une partie à l'autre de la France ne font que recouvrir des différences de structures sociales. L'influence de la localisation des couches aisées est en effet évidente. Ce n'est pourtant pas le seul facteur de différenciation. Pour une même catégorie socio-professionnelle, les écarts de salaire d'une région à l'autre sont relativement importants :

SALAIRE ANNUEL MOYEN EN 1989
France = 100

	Ouvriers	Employés	Professions inter-médiaires	Cadres prof. intell.
Région Ile-de-France	112	109	111	113
France de l'Est	96	94	95	93
France de l'Ouest	90	91	90	88

On retrouve toujours la même physionomie : les salaires sont plus élevés dans la Région Parisienne qu'en province et légèrement plus élevés dans la France de l'est que dans la France occidentale. Il en est de même si on considère les différences selon les sexes et selon les âges. Ces écarts dans les rémunérations paraissent pouvoir être expliqués par les variations dans le rapport offres-demandes d'emploi et surtout par les différences de qualification professionnelle.

Les niveaux d'instruction

Si le niveau de vie connaît d'assez fortes variations dans l'espace — à l'avantage des grandes villes et particulièrement de la capitale —, il en est à peu près de même pour le niveau d'instruction. Les titulaires d'un diplôme d'enseignement supérieur, les cadres, les chercheurs, les professions intellectuelles se trouvent de préférence dans certaines villes ou certaines régions. Concentration de la richesse et concentration de la « matière grise » vont presque toujours de pair, bien qu'elles ne concernent pas toujours les mêmes catégories socioprofessionnelles.

Sur cet aspect, les informations sont nombreuses et de bonne qualité. En voici un aperçu pour les grands ensembles territoriaux distingués jusqu'à présent :

Région	Population	Diplômés de l'enseign. sup.	Cadres sup. et prof. libér.	Chercheurs
	(part dans l'ensemble de la France en 1975)			
Ile-de-France	18,5	38,0 %	38,7 %	61,0 %
France de l'Est	45,0	35,8	36,2	24,8
France de l'Ouest	36,5	26,2	25,1	14,2

La concentration en faveur de la Région Ile-de-France est très accusée : avec un peu moins du cinquième de la population française, elle groupe près des 2/5 des diplômés de l'enseignement supérieur, fait travailler les 2/5 des cadres supérieurs et des professions libérales et concentre plus des 3/5 des chercheurs. Fait ancien, la migration des diplômés vers Paris se poursuit; sans doute est-elle beaucoup moins forte qu'au XIXe siècle où il fallait obligatoirement « monter » à Paris pour réussir ou occuper un poste intéressant, mais elle est encore importante. La province est nettement plus pauvre à ce point de vue. La France de l'Est elle-même a relativement peu de diplômés et de chercheurs compte tenu de sa population; mais c'est surtout la France de l'Ouest qui est désavantagée : avec plus d'un tiers de la population, elle a seulement 1/4 des diplômés de l'enseignement supérieur et moins de 1/7 des chercheurs.

Ces oppositions, quoique fort grossières, sont significatives. Une analyse plus détaillée d'un des indices retenus, la proportion des diplômés par exemple, montre l'importance du déséquilibre et la diversité des facteurs qui pèsent sur leur distribution spatiale. Les départements peu urbanisés sont nettement désavantagés : dans la plupart d'entre eux, il y a moins de 20 diplômés pour 100 adultes et, pour certains, moins de 15 (Orne, Mayenne, Vendée, Creuse). Même situation dans quelques départements urbanisés, mais ayant un environnement jugé peu attrayant (le Pas-de-Calais par exemple). En revanche, les départements possédant une agglomération importante et de bon niveau présentent des chiffres élevés : le Nord, le Rhône, la Haute-Garonne; il en est de même pour les départements où la vie est considérée comme plus agréable : c'est surtout le cas pour la façade méditerranéenne. Bien entendu, la concentration des diplômés dans la Région Ile-de-France est très marquée; les chiffres les plus forts concernent les départements où les cadres résident en grand nombre comme les Hauts-de-Seine (70) et Paris (81).

Cette concentration de la matière grise dans les villes importantes, et plus particulièrement dans l'agglomération parisienne, est, dans une large mesure, la conséquence de la concentration spatiale des activités économiques réclamant des cadres de haut niveau. Mais c'est aussi un facteur qui entretient les déséquilibres dans la mesure où beaucoup de chefs d'entreprises ne s'installent que là où il y a des cadres et où beaucoup d'autres hésitent à se décentraliser parce que leurs cadres y sont hostiles.

Les milieux de vie

D'une façon plus générale, les déséquilibres économiques ont provoqué peu à peu la formation de milieux de vie différents qui se distinguent par l'intensité plus ou moins grande de l'urbanisation, la composition sociale et professionnelle, les besoins, les rythmes de vie. A ce point de vue, l'urbanisation est l'élément majeur de différenciation.

L'intensité inégale de la vie urbaine est due à la répartition déséquilibrée des activités secondaires et tertiaires. La population des zones urbaines est plus nombreuse dans la partie orientale de la France que dans la partie occidentale et le taux d'urbanisation y est plus élevé. La dissymétrie du territoire est assez nette : en 1982, dans la moitié est, 88 % de la population vivait dans les zones de peuplement industriel et urbain contre 66 % pour la moitié ouest. Le trait majeur de la distribution d'ailleurs est moins la dissymétrie est-ouest que l'exceptionnelle concentration représentée par la Région Ile-de-France : à elle seule, elle fait vivre le quart des personnes vivant dans les zones urbaines; la population y est urbanisée ou « suburbanisée » à 99 %.

Cette inégalité de l'urbanisation donne une physionomie assez différente aux deux moitiés est et ouest de la France.

Les campagnes suburbanisées ou péri-urbanisées, fortement intégrées aux villes, s'étendent essentiellement dans la moitié orientale. L'Ouest, le Sud-Ouest et le Massif Central ont encore des « campagnes profondes » (fig. 42). Les villes ouvrières, spécialisées dans les activités secondaires et tertiaires de la première révolution industrielle, se trouvent seulement dans la partie orientale, dans le quadrilatère Nord-Lorraine-Franche-Comté-Saint-Étienne. Les villes tertiaires, où artisans et commerçants comptent beaucoup, sont plutôt au sud de la ligne Cherbourg-Nice (fig. 43).

Ainsi, l'espace français continue de connaître deux déséquilibres majeurs en dépit des mutations récentes et en cours : celui qui oppose Paris et la province, celui qui différencie l'est et l'ouest.

C'est une mince consolation de constater que de semblables déséquilibres existent dans bien d'autres pays et parfois même des déséquilibres plus graves, apparus peu à peu au XIXe ou au XXe siècle avec l'industrialisation. Pour être moins forts que dans certaines nations, ils n'en sont pas moins préoccupants. Ils sont à l'origine d'inégalités importantes et par conséquent de tensions. Pour les réduire, il faudra à coup sûr beaucoup de temps, de volonté et de moyens.

L'originalité de la France, par rapport à la plupart des pays, c'est le déséquilibre entre la capitale et la province. Quels que soient les indicateurs utilisés pour l'apprécier, il apparaît toujours important. Nulle part ailleurs en Europe, le contraste n'est aussi vif entre la capitale et le reste du pays. Il est d'ailleurs significatif que « la

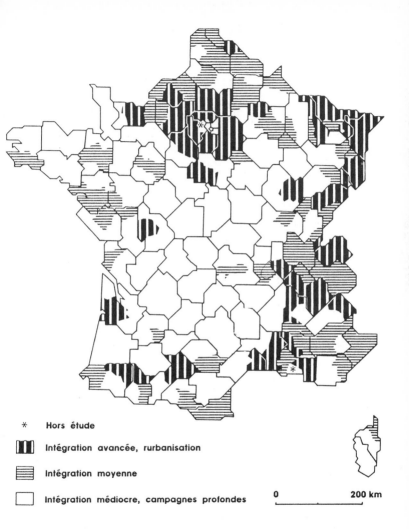

* **Hors étude**

▮▮ **Intégration avancée, rurbanisation**

▤ **Intégration moyenne**

☐ **Intégration médiocre, campagnes profondes**

0 ———————— 200 km

Fig. 42. — Types d'espaces ruraux

Source : J.-B. Charrier, *Villes et campagnes,* Masson, 1988.

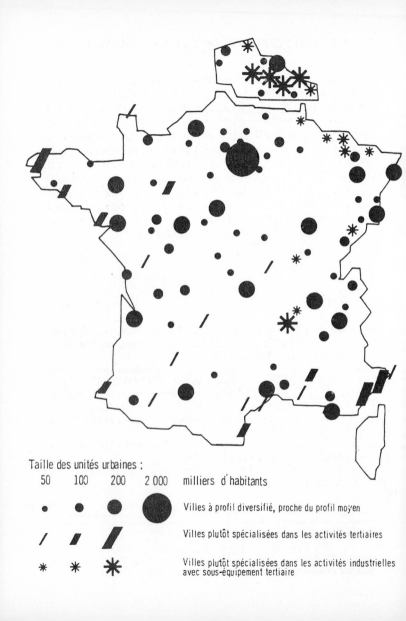

Taille des unités urbaines :

50   100   200   2 000   milliers d'habitants

Villes à profil diversifié, proche du profil moyen

Villes plutôt spécialisées dans les activités tertiaires

Villes plutôt spécialisées dans les activités industrielles
avec sous-équipement tertiaire

province » soit une expression difficile à traduire dans les langues européennes, car elle n'a pas d'équivalent satisfaisant.

Sans doute, la population parisienne qui vit de plus en plus mal dans une agglomération gigantesque n'a-t-elle pas en général l'impression d'être particulièrement avantagée; les sentiments de frustration y semblent même plus répandus que partout ailleurs. Si elle paraît plus favorisée à bien des égards, c'est aussi parce qu'elle est très fortement différenciée socialement; bien des avantages apparaissant dans les moyennes statistiques ne concernent en réalité que les couches favorisées ou moyennes de la population; quant aux avantages dont profitent les Parisiens, ils sont largement compensés par les difficultés de la vie quotidienne.

LECTURES

AYDALOT (Ph.), *Dynamique spatiale et développement inégal,* Paris, Economica, 1976, 336 p. − *Atlas économique des régions françaises,* Paris, Economica, 1982, 133 p.

BEAUJEU-GARNIER (J.), «Toward a new equilibrium in France?», *Ann. of Assoc. of Amer. Geogr.,* march 1974, p 113-125.

BOUDOUL (J.), FAUR (J. P.), « Trente ans de migrations intérieures », in *Données Sociales 1987,* Paris, I.N.S.E.E., p. 262-268.

BRUNET (R.) (sous la dir. de), *La Vérité sur l'emploi en France,* Paris, Larousse, 1987, 288 p.

BRUNET (R.), SALLOIS (J.), *France : Les dynamiques du territoire,* Montpellier, GIP-Reclus, 1986, 256 p.

CALMÈS (R.) *et al., L'Espace rural français,* Paris, Masson, 1978, 171 p., cartes.

Fig. 43. − Types de villes

Source : Th. Saint-Julien (*in* : R. Brunet et J. Sallois, 1986), Typologie faite sur la base de l'activité économique.

CHANUT (J. M.) et TRÉCA (L.), « Analyse régionale et indicateurs régionaux », *Les Coll. de l'I.N.S.E.E.*, Paris, n° R 16-17, 1975, 279 p.

FRANCART (G.), « Le rééquilibrage démographique de la France », *Écon. Stat.*, 1983, n° 153.

GRAVIER (J. F.), *Paris et le désert français en 1972*, Paris, Flammarion, 1972, 284 p.

HANNOUN (M.) et SICHERMAN (G.), « Résorption des disparités régionales et nouveaux clivages », *Écon. et Stat.*, 1983, n° 153, p. 59-74.

JAYET (H.) (sous la dir. de), *L'Espace économique français*, Paris, I.N.S.E.E., 1988, 226 p.

KAYSER (B.) et LABORIE (J. P.), « L'inertie de l'espace français », *Hérodote*, 1981, n° 23.

KNOX (P. L.) et SCARTH (A.), « The quality of life in France », *Geography*, 1977, 1, p. 9-16.

MABILE (S.), JAYET (H.), « La redistribution géographique des emplois entre 1975 et 1982 », *Écon. Stat.*, 1985, n° 182.

MARY (S.) et TURPIN (E.), « Panorama économique des régions françaises », *Coll. de l'I.N.S.E.E.*, 1981, n° R 42-43.

MOINDROT (Cl.), « Population et revenus en France : corrélations et inégalités », *L'Esp. Géogr.*, Paris, 1978, p. 65-68.

NOIN (D.), « Essai d'établissement d'une carte économique de la France sur des bases comptables », *L'Esp. Géogr.*, 1973, n° 4, p. 257-265.

ODDO (B.) et POINAT (F.), *L'inégal développement des régions européennes*, *Écon. et Stat.*, Paris, 1989, n° 222, p. 47-58.

PUMAIN (D.), Les migrations interrégionales de 1954 à 1982... *Popul.*, 1986, 2, p. 375-389.

Statistiques et indicateurs des régions françaises, I.N.S.E.E. (Coll. « Insee Résultats »), nᵒˢ 49-51, 1992, 522 p.

TURPIN (E.), *Disparités régionales, croissance et crise*, *Écon. et Statist.*, 1981, n° 133, p. 77-99.

UHRICH (R.), *La France inverse?*, Paris, Economica, 1987, 390 p.

CHAPITRE 8

LA CONFIGURATION GÉNÉRALE DE L'ESPACE FRANÇAIS

L'analyse des pôles, des axes et des déséquilibres a fourni de l'espace français une suite d'images sensiblement différentes, portant à chaque fois l'éclairage sur un aspect distinct.

A présent, il faut retenir les traits communs de ces images et considérer globalement les diverses caractéristiques pour faire apparaître les caractères dominants de l'organisation spatiale.

Les principes de la structure territoriale

— Dissymétrie et influence parisienne —

Deux principes essentiels ont paru expliquer la configuration territoriale de la France : la très forte influence de Paris d'une part et la dissymétrie est-ouest d'autre part.

La dissymétrie est-ouest

La dissymétrie entre les deux parties situées de part et d'autre de la ligne Basse-Seine/Bas-Rhône est très nette, même si on fait momentanément abstraction de l'agglomération parisienne qui est incluse dans la partie orientale.

L'opposition se manifeste à presque tous les points de vue. L'exprime-t-on en termes démographiques? Le poids de la partie occidentale paraît nettement plus faible; la densité de la population y est 1,6 fois moins forte; on y trouve de faibles densités, surtout dans le Massif Central et le Sud-Ouest; l'urbanisation est beaucoup moins poussée; il y a peu d'agglomérations importantes; trois villes avoisinent le demi-million d'habitants, Bordeaux, Toulouse et Nantes, alors que l'autre partie compte trois villes « millionnaires ». La traduit-on en termes économiques? La faiblesse de la partie occidentale apparaît plus encore; la densité du produit intérieur brut y est 1,7 fois moins forte et la productivité de chaque actif y est moins élevée d'un dixième environ. L'agriculture y reste encore importante; il n'y a aucun foyer industriel majeur, alors que la partie dispose de plusieurs gros foyers de production. Veut-on la signifier en termes d'analyse spatiale ou d'aménagement? L'opposition est également flagrante : la partie ouest n'a pas de grands pôles; elle n'a que deux vraies métropoles régionales, trois en comptant large; les villes assimilées à des métropoles régionales sont nettement plus faibles. L'Ouest n'a aucun axe majeur; le plus important de ses axes, celui qui relie Bordeaux à Paris, ne souffre guère la comparaison avec les puissants systèmes de relations de la partie orientale, même s'il s'est renforcé depuis la mise en service du t.g.v. Atlantique.

L'évolution observée au cours des années 70 et 80 montre que la dissymétrie n'a été que légèrement réduite en ce qui concerne la population ou la production. Pour la consommation des ménages, il semble qu'il y ait eu une petite réduction des écarts mais la différence moyenne des niveaux de vie entre les deux moitiés de la France n'est pas très forte, de toute façon, si la région Ile-de-France est considérée à part; de plus, il est probable que la crise qui frappe durement les vieilles régions industrielles va continuer à la réduire encore ou même à la faire disparaître.

Maintes études ont souligné l'importance de cette dissymétrie est-ouest.

Le travail de E. Juillard et H. Nonn (1976) sur les espaces et les régions en Europe occidentale a montré que la France était à cheval sur les trois types d'espaces existant dans cette partie du monde (fig. 4). La France de l'ouest fait partie des espaces périphériques à développement tardif. La France orientale, qui a une physionomie plus variée, fait partie à la fois des espaces périphériques à développement intermédiaire (dans le Sud-Est et le Centre-Est), des espaces de type rhénan à développement précoce et à semis urbain dense (dans le Nord et le Nord-Est), enfin des espaces marqués par la domination d'une grande métropole (dans le Bassin Parisien).

L'essai de modélisation de l'espace français, publié par R. Brunet (1973) sous la forme d'une représentation très schématique ou chorème, donne également la priorité aux gradients économiques (fig. 44). Il souligne les contrastes essentiels du territoire français de part et d'autre d'une ligne Basse-Seine-Bas-Rhône. La France de l'Est comporte la grande aire attractive du Bassin Parisien et le grand axe national de communications allant du Havre à Marseille par les vallées de la Seine, de la Saône et du Rhône; elle se trouve proche des grands axes et des foyers de dynamisme du continent, en particulier de ceux de l'Europe rhénane. La France de l'Ouest, bien moins favorisée dans son évolution, comprend l'aire répulsive du Massif Central et ne bénéficie pas d'un voisinage stimulant. Le gradient qui différencie la France est en fait un gradient économique européen.

Il est certain en effet que le territoire français apparaît dissymétrique dès lors que le principe de division est celui des espaces plus ou moins homogènes. Il convient pourtant d'apporter aujourd'hui des corrections à cette configuration. La crise économique qui sévit depuis 1973 a atténué très nettement l'opposition. Les mines, la sidérurgie, le textile, les chantiers navals, la construction automobile et l'électro-métallurgie, surtout représentés dans la partie orientale, sont gravement touchés par la réduction des marchés et les mutations technologiques; toutes ces branches doivent licencier ou mettre en retraite anticipée une partie de leur personnel car les effectifs employés s'avèrent désormais en surnombre. Les industries nouvelles, mieux représentées dans la partie occidentale, connaissent aussi certaines difficultés mais sont en meilleure situation; le tourisme et les activités de service continuent de s'y développer. Les migrations enregistrées au cours des années 75 à 90 traduisent bien

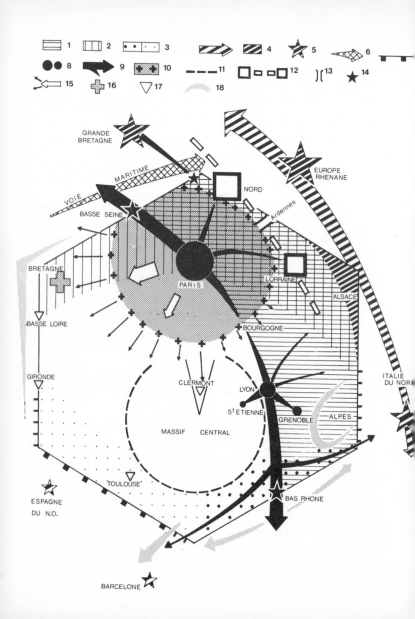

1	2	3	4	5	6
8	9	10	11	12	13	14
15	16	17	18

GRANDE
BRETAGNE

MARITIME

VOIE

BASSE SEINE

NORD

EUROPE
RHENANE

Ardennes

BRETAGNE

LORRAINE

PARIS

ALSACE

BASSE LOIRE

BOURGOGNE

GIRONDE

CLERMONT

LYON

St ETIENNE

GRENOBLE

ALPES

ITALIE
DU NORD

MASSIF   CENTRAL

TOULOUSE

ESPAGNE
DU N.O.

BAS RHONE

BARCELONE

ces changements. C'est ainsi que la Lorraine, le Nord, l'Ile-de-France, la Champagne, la Franche-Comté et la Haute-Normandie ont connu plus de départs que d'arrivées. Par contre, plusieurs régions de la moitié occidentale ont connu une situation plus favorable avec plus d'arrivées que de départs, particulièrement le Languedoc-Roussillon, l'Aquitaine, le Centre, le Midi-Pyrénées et la Bretagne. D'une façon générale, ce sont les régions occidentales et surtout les régions méridionales qui ont connu une certaine expansion depuis le début de la crise tandis que les régions septentrionales ont connu maintes difficultés.

De nouveaux clivages et de nouveaux déséquilibres sont donc en train d'apparaître au sein de la France qu'il conviendra de suivre avec attention dans les prochaines années.

De nouvelles représentations schématiques, établies par R. Brunet, aident à prendre conscience de la configuration différente prise peu à peu par l'espace français (fig. 45).

Fig. 44. — Image simplifiée de l'espace français au début des années 70

Selon R. Brunet, *L'Espace géographique,* 1973 (4), p. 251.
1. Fortes urbanisation et industrialisation. — 2. Forte fécondité, beaucoup de jeunes actifs. — 3. Phénomène « Midi », plus ou moins accentué. — 4. Axe rhénan et son influence directe en France. — 5. Puissants centres d'activité, de décision et d'investissement voisins. — 6. Grand trafic maritime international. — 7. Bordure plus ou moins fermée. — 8. Grand pôle de développement français. — 9. Axe national et ses antennes. — 10. Aire attractive, en expansion. — 11. Aire répulsive. — 12. Axe en transformation des vieux foyers de la première révolution industrielle. — 13. Tendance à l'interruption de cet axe. — 14. Grand complexe portuaire en expansion. — 15. Tendance à l'expansion spatiale de l'aire parisienne, avec encouragement de l'État, à la rencontre de 16. — 16. Surplus potentiel de main-d'œuvre par restructuration rurale. — 17. Centres urbains périphériques ou isolés jouant le rôle de foyers d'attraction locaux. — 18. Tendance au développement touristique.

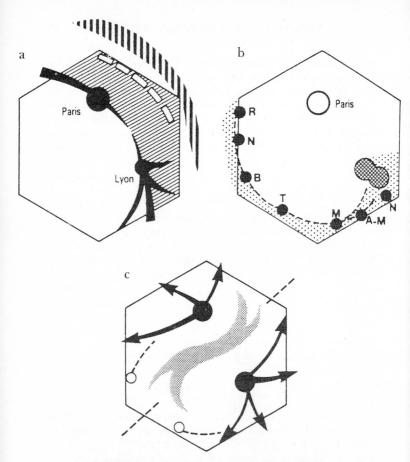

**Fig. 45. — Nouvelles images simplifiées
de l'espace français au milieu des années 80**

a. La vieille dissymétrie est-ouest, l'axe majeur du territoire et
les anciennes régions industrielles. — **b.** La bordure occidentale
et méridionale en pleine expansion. — **c.** Un nouveau clivage de
part et d'autre de la diagonale vide.

Source : R. Brunet (*in* : R. Brunet et J. Sallois, 1986).

La dissymétrie est-ouest reste un trait majeur de l'organisation du territoire en dépit des changements apportés par l'évolution économique depuis 1973. La moitié orientale est bordée le long des régions rhénanes pas de vieux ensembles industriels en crise, allant du Nord à la Franche-Comté. Elle est également bordée par l'axe majeur du territoire avec ses grands pôles urbains dont l'énorme pôle parisien, prédominant à tous points de vue, et le pôle lyonnais qui a tendance à devenir de plus en plus important.

La bordure occidentale et méridionale, en pleine expansion, constitue un autre élément de l'organisation spatiale désormais avec ses villes dynamiques, ses activités nouvelles et ses espaces propres à attirer les cadres (la mer, la montagne, le soleil, les villes d'art).

Une diagonale vide apparaît de plus en plus nettement au sein de l'espace français avec deux ensembles différents de part et d'autre. D'un côté la capitale, sa large zone de diffusion et ses prolongements tentaculaires en direction de l'ouest et du sud-ouest. De l'autre, la partie orientale et sud-orientale avec Lyon et les régions en expansion du Languedoc, de Provence, de Rhône-Alpes et enfin d'Alsace.

La prédominance parisienne

Un autre grand principe d'organisation apparaît néanmoins de façon constante, c'est l'influence de Paris.

Il est presque toujours présent ou sous-jacent dans les analyses. En termes démographiques ou économiques, c'est manifeste : alors que la Région Ile-de-France du découpage officiel couvre une toute petite partie du territoire (1/45), elle représente près du cinquième de la population, plus du cinquième des actifs et plus du quart de la production. Par rapport aux grandes villes de province, la disproportion est considérable. En termes sociaux, le déséquilibre est plus indiscutable encore. Si on se place enfin au plan de l'analyse spatiale, la capitale apparaît jouer un rôle exceptionnellement important. Sa place dans l'armature urbaine nationale est déterminante. Paris est le seul véritable centre de décision de la France, qu'il s'agisse des affaires politiques ou économiques. Paris est à l'origine des axes majeurs qui structurent le territoire. L'action de Paris est telle que tout l'espace français est plus ou moins dominé par sa présence : l'analyse de l'armature urbaine du Bassin Parisien comme de l'ensemble de la France montre une série d'auréoles concentriques pourvues de villes de niveau d'autant plus élevé qu'on s'éloigne du point central : les métropoles régionales se trouvent loin, dans les régions périphériques.

Diverses études ont également mis en lumière le caractère essentiel de cet autre principe d'organisation, en particulier celle de D. Pumain et Th. Saint-Julien (1978) sur le système urbain français et ses changements de 1954 à 1975 (fig. 46). Au cours de la longue période d'expansion qui a suivi la Seconde Guerre mondiale, ce système n'a pas été fondamentalement modifié; sa stabilité est liée en effet à l'inertie des localisations économiques. Le seul changement important a été le développement des activités tertiaires dans les villes industrielles et, à l'inverse, des activités industrielles dans les villes tertiaires. Le processus de dynamisation est apparu en auréoles de plus en plus larges, centrées sur Paris; il correspond à la diffusion dans l'espace d'activités en expansion en liaison avec la diminution relative de la concentration de ces activités dans l'agglomération parisienne et à leur redistribution de plus en plus loin alentour. Le Bassin Parisien en a été le principal bénéficiaire mais l'Ouest, le Centre-Ouest, le Centre-Est et le Sud-Ouest en ont profité aussi un peu plus tard. Le système urbain, qui représente une très forte proportion du poids démographique et économique de la France, a donc évolué essentiellement en fonction de Paris. Seules quelques régions périphériques comme l'Alsace, le Languedoc et la Provence ont connu un dynamisme relativement indépendant de celui produit par le foyer parisien.

Certains indicateurs synthétiques de la configuration territoriale comme le potentiel de population soulignent également le rôle clé de la capitale dans l'espace français.

Le potentiel de population est un indicateur révélateur par l'image simplifiée qu'il donne de l'espace. Il permet d'apprécier le caractère central ou marginal des diverses parties d'un pays.

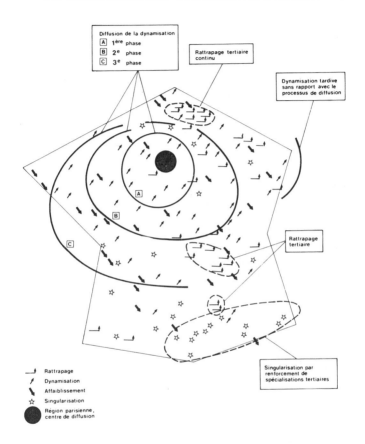

**Fig. 46. — Changements observés
dans le système urbain français entre 1954 et 1975**

Selon D. Pumain et Th. Saint-Julien, *Les Dimensions du changement
urbain*, 1978, p. 89.

La notion de potentiel est dérivée de la physique gravitationnelle. Sans entrer ici dans le détail, on retiendra simplement que le potentiel — lorsqu'il s'agit de la population — mesure l'interaction entre les divers individus d'un territoire donné[1]. Un lieu à potentiel élevé est favorisé : la distance entre ce lieu et l'ensemble des habitants est minimisée, l'arrivée et l'expédition des marchandises se font donc au moindre coût, les entreprises commerciales et industrielles y trouvent de nombreux avantages, la croissance économique y rencontre des conditions favorables. Inversement, un lieu à faible potentiel est défavorisé : la distance entre ce lieu et l'ensemble des habitants est beaucoup plus grande, les frais de transport sont donc bien plus élevés. L'examen du potentiel de population est intéressant pour la connaissance de l'organisation de l'espace, car il fournit une mesure de la quantité potentielle de relations qu'un lieu entretient avec l'ensemble du territoire du seul fait de sa position et de la distribution spatiale des habitants.

La carte du potentiel de population offre un « pic » très marqué à l'emplacement de l'agglomération parisienne[2] (fig. 47). Elle montre avant tout l'influence puissante de la capitale qui est éminemment avantagée par son poids démographique et sa position par rapport à l'ensemble de la population française. Le Bassin Parisien a un potentiel également élevé, mais qui décroît au fur et à mesure qu'on s'éloigne de la capitale. Cette partie « centrale » de la France est la partie la plus favorisée du territoire.

Les régions périphériques sont dans une situation moins favorable, mais leurs situations respectives sont visiblement différentes. Le Nord, la Haute-Normandie et la Région Lyonnaise ont des

---

1. Pour plus d'explications sur cette notion, on peut consulter WARNTZ (W.), « A new map of the surface of population potentials for the U.S. 1960 », *Geogr. Review*, 1964, p. 170-184 ; ABLER (R.), ADAMS (J.) et GOULD (P.), *Spatial organization, the geographer's view of the world*, Prentice Hall, 1971, p. 216-221.

2. PESEUX (Ch.), « Une carte du potentiel de la population en France », *L'Esp. géogr.*, 1974, n° 2, p. 158-159.

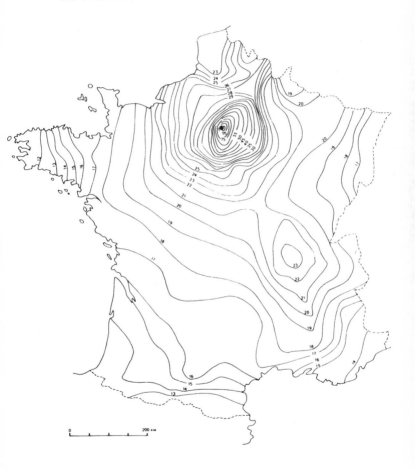

Fig. 47. — **Le potentiel de population de la France**

Source : Ch. Peseux, *L'Esp. géogr.*, 1974, n° 2.

potentiels assez élevés; les axes majeurs qui les relient à Paris traversent des zones à potentiel relativement fort; Lille et Lyon sont les seules villes pour lesquelles on observe des relèvements du potentiel. Dans la partie orientale de la France, un certain isolement apparaît pour l'Alsace et surtout pour l'angle sud-est, mais cette appréciation n'est possible que si on considère isolément le territoire français, comme s'il était fermé; dans le cadre de l'Europe des Douze, l'Alsace est nettement plus favorisée. Dans la moitié occidentale, l'ouest de la Bretagne et les pays du sud-ouest souffrent visiblement d'un handicap : leur caractère marginal se trouve ici bien mis en lumière; économiquement, cela se traduit par une mauvaise accessibilité des marchés pour leurs productions agricoles ou industrielles. La Corse n'a pas été indiquée sur la carte : si elle l'avait été, elle apparaîtrait avec un chiffre plus faible encore que celui de la Bretagne occidentale en raison de son éloignement; la marginalité est ici maximale.

On observe une certaine dissymétrie entre les deux moitiés est et ouest du territoire de part et d'autre de la ligne joignant l'estuaire de la Seine à l'embouchure du Rhône. Les chiffres sont plus élevés dans la partie orientale qui comprend toutes les zones à haut potentiel. Mais cette dissymétrie n'apparaît qu'en second lieu, à l'analyse. Ce n'est pas l'élément frappant.

Les traits dominants de la carte du potentiel de population sont essentiellement dus à l'influence parisienne : ils sont en accord avec ce qui a déjà été observé sur la place de Paris dans la population, l'économie ou l'armature urbaine.

Ce n'est d'ailleurs pas surprenant puisque cette organisation du territoire reflète en définitive l'organisation économique, sociale et politique du pays. Or c'est bien la capitale qui est omnipotente et non telle ou telle partie de la France; plus que dans aucun autre pays d'Europe, elle concentre les organismes de direction politique ou économique ainsi que les éléments influents de la population.

Des changements ont certes eu lieu avec la mise en route d'une politique visant à corriger les déséquilibres. Des pôles de croissance se développent aux extrémités des trois principaux axes qui traversent le territoire : à Dunkerque, à Fos ou le long de la Basse-Seine;

les métropoles régionales se renforcent : Lyon tout particulièrement ; les activités industrielles de l'agglomération parisienne sont contenues ; il y a une certaine décentralisation intellectuelle et l'amorce d'une décentralisation administrative.

Mais si des retouches ont été récemment apportées au tableau, celui-ci n'a pas encore changé sérieusement pour autant. La configuration générale de l'espace français amène à distinguer une *partie centrale* très fortement marquée par la présence de Paris et une *auréole périphérique* plus variée, encadrée par des métropoles ou des centres régionaux.

LECTURES

BRUNET (R.), « Structure et dynamisme de l'espace français : schéma d'un système », *L'Esp. géogr.*, 1973, n° 4, p. 249-254.

BRUNET (R.) et SALLOIS (J.)., *France : Les Dynamiques du territoire*, Montpellier, Gip-Reclus, 1986, 256 p.

Géoscopie de la France, Paris, Librairie Minard, 1984, 400 p.

JUILLARD (E.) et NONN (H.), *Espace et régions en Europe occidentale*, Strasbourg, C. Rech. Rég., Paris, C.N.R.S., 1976, 114 p.

PUMAIN (D.) et SAINT-JULIEN (Th.), *Les Dimensions du changement urbain*, Paris, C.N.R.S., Mem. et Doc., 1978, 204 p. — « Les transformations du système urbain français », *L'Esp. géogr.*, 3, p. 203-211.

CHAPITRE 9

LA PARTIE CENTRALE DE L'ESPACE FRANÇAIS

Ce n'est pas du centre territorial qu'il s'agit ici, ni de la région Centre, ni des départements communément appelés « du centre », de façon vague d'ailleurs, mais de la partie qui est véritablement centrale au plan de l'organisation spatiale. C'est Paris et la grande Région Parisienne par opposition à la petite « Région Ile-de-France » du découpage officiel qui correspond plutôt à la zone urbaine. Par commodité de langage, on peut l'appeler le Bassin Parisien, mais en donnant à ce vocable un sens économique et non géologique.

C'est un espace très vaste, aux limites floues, qui cesse là où apparaît l'influence d'une métropole régionale ou d'une ville pouvant être considérée comme telle. Il s'étend loin autour de Paris jusqu'à couvrir les 3/10 de la France. C'est la partie la plus puissante du territoire : à elle seule, elle fait vivre les 2/5 de la population française et elle contribue pour la moitié au produit intérieur. Elle est bien évidemment dominée par l'énorme agglomération parisienne.

Paris

— Une hypercapitale pour la France —

La plupart des Français ne se rendent pas compte du caractère inhabituel de leur capitale. Paris n'est pas une simple capitale politique : sur ce plan, c'est un centre extraordinairement influent en raison de l'extrême centralisation qui caractérise encore l'État français en dépit des mesures de décentralisation ou de déconcentration prises au cours des dernières années; les administrations centrales y sont particulièrement lourdes et quantité d'organismes plus ou moins liés à elles y sont rassemblés. C'est aussi le centre d'affaires par excellence de la France; la plupart des grandes entreprises ont voulu situer leur état-major le plus près possible du pouvoir. C'est le grand centre commercial et bancaire. C'est la métropole intellectuelle. C'est le centre touristique majeur. Enfin, c'est la plus grosse concentration industrielle du pays. Pour les étrangers, du reste, « Paris, c'est la France ». Appréciation assurément sommaire, mais significative. De fait, une telle concentration est rare dans le monde. Ni Londres, ni Moscou, ni Tokyo, ni New York n'occupent, dans leurs pays respectifs, le premier rang avec autant d'éclat et aussi peu ce concurrence. Seule la capitale anglaise, en Europe, offre une concentration comparable d'hommes et d'activités, mais elle n'a pas provoqué les mêmes effets négatifs sur le reste du territoire. En vérité, *Paris n'est pas une simple capitale, c'est une hypercapitale*. C'est la capitale dans tous les sens du terme.

Son rôle n'est pas seulement national d'ailleurs. Par ses fonctions de commandement et de rayonnement, elle exerce une influence qui déborde très largement le cadre de la France. C'est une *ville mondiale* au même titre que New York, Moscou, Tokyo ou Londres.

Une très grosse concentration d'hommes et d'activités

De telles fonctions ont entraîné un étonnant foisonnement d'activités et une taille démesurée.

L'agglomération, avec 9,3 millions d'habitants en 1990, compte *parmi les plus gros foyers urbains du monde*, assez loin derrière Tokyo, Mexico, New York, São Paulo et quelques autres villes géantes mais sans doute au 4e rang au sein des pays développés et au 1er rang désormais sur le continent européen. A elle seule en tout cas, elle est plus peuplée que la Suisse, l'Autriche ou la Suède.

Au plan économique, Paris est un pôle énorme à l'intérieur de la France. L'agglomération fournit plus du quart du produit intérieur brut. Dix fois plus que celle de Lyon! autant que les 55 départements placés en queue de liste! Elle paie près de la moitié des taxes sur les chiffres d'affaires et près des 2/3 des impôts sur les bénéfices.

Très gros foyer industriel, l'agglomération fait travailler plus d'un million et demi d'actifs dans les diverses branches du secteur secondaire, parmi lesquelles domine la métallurgie. Pour une agglomération de cette taille, elle est assez fortement industrialisée. Notons cependant que l'emploi industriel n'y augmente plus et qu'un processus de désindustrialisation a même nettement commencé depuis le début des années 70.

L'agglomération est de toute façon plus tertiaire qu'industrielle. L'évolution enregistrée depuis la Seconde Guerre mondiale se fait très nettement dans le sens d'une tertiarisation croissante de l'emploi. Plus de deux millions et demi de personnes travaillent dans les branches relevant du secteur tertiaire. Paris assure des tâches multiples et, en particulier, des tâches de direction, d'organisation, de relation et d'invention. C'est le premier foyer pour les échanges intérieurs et extérieurs. C'est la première place financière : la Bourse y traite la quasi-totalité des actions négociées en France; banques et assurances y font travailler plus des 2/5 du personnel de ces deux branches. Paris continue de former, dans ses grandes écoles, la plus grande partie des cadres de haut niveau dont la France a besoin.

La plupart des grands centres de recherche sont localisés à Paris. Bref, la capitale joue toujours *un rôle écrasant au plan économique et intellectuel.*

Ces indications ne suffisent d'ailleurs pas à se rendre vraiment compte du rôle de Paris à l'intérieur de la France. Dans la division du travail qui s'est établie peu à peu au plan national, Paris s'est réservé la plupart des tâches nobles. Dans le domaine industriel, Paris a de plus en plus d'emplois «tertiaires» impliquant une certaine technicité ou un rôle de gestion. Dans le domaine du commerce et des services, Paris concentre une partie importante de tout ce qui se rapporte au tertiaire supérieur. Avec ses administrations, ses banques, ses sièges sociaux et ses bureaux d'études, Paris a *un rôle dirigeant* à l'intérieur de la France.

Aussi l'agglomération parisienne est-elle une énorme concentration de richesse et de matière grise, car la population y est en moyenne plus qualifiée et mieux payée que dans le reste du pays. Le salaire moyen est de 1/3 supérieur à celui de l'ensemble de la France. La consommation des biens non alimentaires par habitant est de 1/3 plus élevée que la moyenne nationale. Ces chiffres ne tiennent évidemment pas compte de la différenciation sociale qui est plus accusée à Paris que partout ailleurs en France. On y trouve une partie importante des couches sociales privilégiées : la valeur moyenne d'une succession parisienne est de trois fois supérieure à celle d'une succession provinciale.

Une telle concentration d'hommes, de richesses et d'activités est évidemment liée pour une bonne part au fait que Paris est la capitale d'un État très fortement centralisé. C'est le siège du gouvernement, des assemblées, des ministères, des directions des grands services publics ou des entreprises nationalisées. Les organismes d'information y ont leur siège et presque tous leurs bureaux, à proximité des sources de renseignements. Toutes les grandes organisations politiques, syndicales ou professionnelles sont également concentrées à Paris. Dans le domaine politique plus encore que dans le domaine économique, toutes les décisions de quelque importance sont prises à Paris.

A vrai dire, *la situation de Paris en France*, si nettement prédominante, *est unique parmi les grands pays industriels du monde.*

L'espace parisien

Dans cette immense agglomération faisant vivre et travailler plusieurs millions de personnes, la diversité physionomique est évidemment très grande. Chaque quartier de Paris ou chaque commune de banlieue a son originalité. Cependant, cette diversité n'est pas incohérente; activités et types d'habitat ne sont pas distribués au hasard. Il y a une tête et un corps. Les activités directionnelles sont localisées dans la partie centrale, alors que les activités d'exécution se trouvent dans les arrondissements périphériques ou la banlieue (fig. 37). La distance au centre compte beaucoup pour différencier l'espace urbain. Aussi peut-on distinguer, schématiquement, *un noyau et trois couronnes concentriques.* La solidarité de l'ensemble est assurée par une infinité de liens se traduisant notamment par d'énormes flux quotidiens de personnes et de biens. Cette structure n'est pas particulière à Paris; on la retrouve dans nombre de grandes métropoles et notamment à Londres.

Le noyau correspond à peu près à la ville du XVIIIᵉ siècle, au Paris historique et monumental. C'est là que sont localisées la plupart des activités tertiaires de niveau élevé.

Les activités directionnelles sont situées essentiellement à l'ouest du noyau. C'est le *centre* par excellence, l'hypercentre. Il est formé de deux éléments : d'abord le centre politique et administratif dans les VIIᵉ et VIIIᵉ arrondissements avec le Palais de l'Elysée, l'Hôtel Matignon et les ministères; ensuite et surtout le centre des affaires, qui est étalé sur la rive droite de la Seine dans les VIIIᵉ et IXᵉ arrondissements et, partiellement, sur les Iᵉʳ, IIᵉ, XVIᵉ et XVIIᵉ. Sa physionomie est différente de celle des grands centres d'affaires du monde occidental. Elle correspond mal à la fonction : les activités de bureau sont mélangées à beaucoup d'autres et notamment à d'importantes activités commerciales; les immeubles sont anciens, les états-majors d'entreprise sont souvent dispersés sur plusieurs bâtiments, l'encombrement est extrême. C'est néanmoins ici que continuent de s'élaborer les décisions politiques et économiques qui pèsent sur le destin de la France. C'est à la fois le centre de l'agglomération et le centre de toute la nation. C'est ici que se trouve le cerveau de la France.

La partie orientale du noyau, historiquement plus ancienne, comporte également des activités centrales, mais qui n'ont pas, sauf exceptions, un caractère directionnel. Dans les Ve et VIe arrondissements, c'est le quartier intellectuel avec ses universités, ses grandes écoles, ses éditeurs et ses activités artistiques. Dans les IIIe et IVe, c'est un quartier consacré plutôt à l'artisanat et au commerce de gros ou de demi-gros : il a perdu peu à peu son caractère central; il fait transition avec la partie qui enveloppe le noyau.

La première couronne est formée par *les arrondissements périphériques* de Paris-ville : du Xe au XXe. Pour l'essentiel, elle date du siècle dernier ou du début de ce siècle; mais beaucoup d'îlots ont été complètement reconstruits depuis une vingtaine d'années; de nombreux immeubles élevés et parfois des tours y ont été édifiés. L'opposition reste assez nette entre l'est et l'ouest, mais la mosaïque sociale est devenue complexe du fait de la rénovation urbaine qui a eu pour effet d'«embourgeoiser» la population de façon très sensible.

Cette enveloppe est surtout caractérisée par la résidence. Les activités sont variées — commerce, industrie, services —, mais, en général, elles n'ont pas un caractère attractif pour les habitants de l'agglomération.

La seconde couronne, c'est *la proche banlieue*. C'est une zone plus étendue, plus hétérogène, moins dense, plus tardivement édifiée : elle date de la fin du XIXe siècle et du début du XXe siècle. Elle présente un aspect nettement plus ingrat avec ses usines, ses entrepôts et ses équipements variés; elle était il est vrai, largement tournée vers l'industrie mais elle l'est de moins en moins.

Hormis quelques communes aisées, près des « bois », la proche banlieue abrite surtout une population à revenus modestes ou moyens, car en définitive elle est assez défavorisée en général : elle est trop proche de Paris pour être autonome — elle n'a pas de pôles véritables et manque d'équipements de bon niveau −, mais elle a déjà une situation marginale faute de liaisons aisées et rapides avec le centre de la capitale. Il y a, bien sûr, des exceptions dont la plus notable est celle de la Défense, le quartier d'affaires de la banlieue nord-ouest ; il s'agit d'une extension vers l'ouest du centre d'affaires parisien aujourd'hui trop à l'étroit.

La couronne externe, c'est *la banlieue éloignée*, très étendue, peu dense et plus verdoyante. Plus variée aussi : anciens noyaux villageois ou urbains peu à peu transformés, lotissements de l'entre-deux-guerres, grands ensembles de l'après-guerre, nouveaux lotissements pavillonnaires des dernières années, villes nouvelles en construction.

On compte relativement peu d'emplois dans cette enveloppe externe qui sert surtout de résidence et qui connaît de fortes migrations quotidiennes vers Paris ou la proche banlieue. Les communes-dortoirs sont ici très nombreuses. Des changements sont en cours néanmoins : des zones d'emploi, à orientation industrielle, sont apparues un peu partout depuis une vingtaine d'années. Si la banlieue éloignée a un caractère franchement marginal par rapport à Paris, elle offre un cadre de vie souvent plus agréable et elle acquiert peu à peu de l'autonomie pour les commerces et de nombreux services. Elle est en voie de structuration par suite du développement de quelques pôles anciens comme Versailles ou de l'édification de pôles nouveaux comme Cergy ou Evry.

Le Bassin Parisien

— Un vaste espace étroitement lié à Paris —

Paris n'est pas seulement une ville mondiale et une capitale nationale. C'est aussi, on l'oublie souvent, une métropole régionale.

La région est à la mesure de la ville-centre : elle a une taille énorme. Elle ne couvre pas moins de 24 départements en dehors de la petite « Ile-de-France » du découpage officiel. L'influence de Paris s'exerce si fortement et si loin alentour qu'aucune ville de niveau élevé n'apparaît avant 300 km, sauf en direction du Nord (fig. 48).

Ce très vaste espace est évidemment fort varié en raison de la relative diversité du milieu physique et de l'action humaine. Il comporte plusieurs dizaines de « pays » tels que le Pays d'Auge, le Pays de Caux, la Beauce, le Val de Loire, la Sologne... et dont chacun a une physionomie originale. La proximité de la capitale lui confère cependant une profonde unité qui amène à le considérer globalement[1]. Les anciennes provinces ou les régions de programme n'ont ici qu'une signification très limitée.

Tout le Bassin Parisien est *étroitement lié à Paris*. Pendant longtemps, il a souffert d'une grande langueur, car toutes ses forces vives étaient absorbées par la capitale. Depuis vingt-cinq ans en revanche, il a connu des transformations très importantes, parce que la situation démographique s'est renversée et surtout parce que Paris y a diffusé son dynamisme : industrialisation, progrès des activités de commerce et de services, développement des moyens de transport, urbanisation des campagnes, réanimation des petits centres, poussée assez forte des villes moyennes ou des agglomérations importantes. Mais, en même temps, la dépendance s'est accrue. Le Bassin Parisien est un peu à l'image de la banlieue parisienne : d'une certaine façon, c'est un immense corps dont Paris est la tête.

---

1. Il ne saurait être question, en un nombre très limité de pages, de brosser un tableau détaillé des régions françaises et notamment de la mosaïque infiniment variée des petits espaces physico-agricoles observables dans chacune d'elles. Quelques-uns des « pays » sont signalés au passage dans les chapitres 9 et 10, mais l'accent est mis ici sur les traits majeurs et les éléments structurants des régions. Pour l'étude des pays, l'ouvrage le plus commode reste celui de P. ESTIENNE, *Les régions françaises*, Paris, Masson, 2 vol., 1991, 264 et 271 p.

Forces et faiblesses du Bassin Parisien

La zone d'influence étendue de Paris comporte pourtant de *nombreux avantages* par rapport au reste du territoire : sa situation centrale, son relief très modéré, ses bons sols, ses cours d'eau navigables, sa façade maritime, son puissant système de transport, enfin ses liaisons faciles avec la capitale.

Sa situation centrale, par rapport à l'ensemble des habitants du territoire français, lui vaut d'être une zone à haut potentiel de population lui donnant une très bonne accessibilité au marché national. Son relief modéré est dû à son caractère de bassin sédimentaire de faible altitude : il est formé de plaines et surtout de bas-plateaux : hormis quelques « côtes » ou quelques vallées faiblement encaissées, on trouve partout des surfaces horizontales; cette discrétion du relief facilite à la fois l'agriculture et les communications. Les relations sont d'autre part rendues commodes par les seuils peu élevés qui font communiquer le Bassin avec les régions voisines ainsi que par la bonne navigabilité de plusieurs cours d'eau, du moins pour le réseau de la Seine. La façade maritime n'offre qu'un petit nombre d'abris, mais elle donne accès à la mer la plus fréquentée du globe. Enfin, la proximité de Paris peut aujourd'hui être considérée comme un avantage : elle a depuis longtemps facilité la diffusion des innovations; elle a été un puissant facteur d'expansion avec la politique de décentralisation industrielle; enfin elle permet à la population d'accéder plus aisément aux équipements de la capitale. Le système de transport est remarquable par sa densité, sa qualité et son caractère étroitement rayonnant; il matérialise très clairement la forte emprise de Paris sur tout cet espace; il met la plupart des villes à moins de deux heures de train de la capitale.

Ces avantages ont donné au Bassin Parisien, hors de Paris, une économie qui compte parmi les plus modernes et les plus dynamiques de l'Europe. Elle fournit plus de 1/5 de la production intérieure brute.

L'agriculture y est d'un très bon niveau, aussi bien sur les bonnes terres limoneuses que sur les sols moins propices. Les structures d'exploitation sont favorables. Les rendements sont élevés. Le Bassin

Fig. 48. — Points forts et grands axes de l'espace français

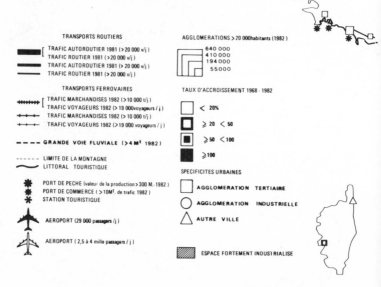

TRANSPORTS ROUTIERS

TRAFIC AUTOROUTIER 1981 (> 20 000 v/j)
TRAFIC ROUTIER 1981 (> 20 000 v/j)
TRAFIC AUTOROUTIER 1981 (> 20 000 v/j)
TRAFIC ROUTIER 1981 (> 20 000 v/j)

TRANSPORTS FERROVAIRES

TRAFIC MARCHANDISES 1982 (> 10 000 t/j)
TRAFIC VOYAGEURS 1982 (> 19 000voyageurs / j)
TRAFIC MARCHANDISES 1982 (> 10 000 t/j)
TRAFIC VOYAGEURS 1982 (> 19 000 voyageurs / j)

GRANDE VOIE FLUVIALE (> 4 Mt 1982)

LIMITE DE LA MONTAGNE
LITTORAL TOURISTIQUE

PORT DE PECHE (valeur de la production > 300 M. 1982)
PORT DE COMMERCE (> 10Mt. de trafic 1982)
STATION TOURISTIQUE

AEROPORT (29 000 passagers /j)

AEROPORT (2,5 à 4 mille passagers / j)

AGGLOMERATIONS > 20 000habitants (1982)

640 000
410 000
194 000
55000

TAUX D'ACCROISSEMENT 1968 - 1982

< 20%
≥ 20 < 50
≥ 50 < 100
≥ 100

SPECIFICITES URBAINES

AGGLOMERATION TERTIAIRE

AGGLOMERATION INDUSTRIELLE

AUTRE VILLE

ESPACE FORTEMENT INDUSTRIALISE

BREST

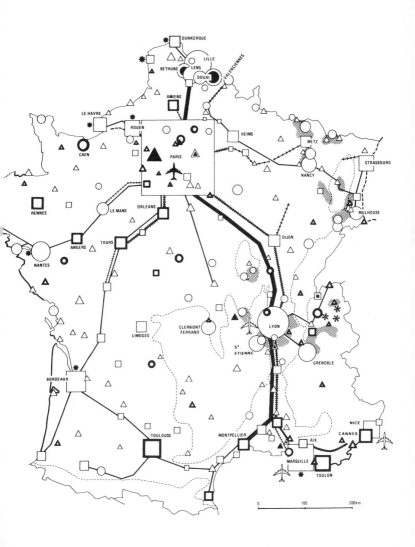

contribue pour près des 2/5 à la production agricole française; il joue en particulier un rôle important dans la production du blé, des cultures industrielles, du lait et de la viande. Seules les marges occidentales et méridionales connaissent une situation moins satisfaisante à ce point de vue.

L'industrie est maintenant très développée partout, mais elle n'a pas encore effacé la *dissymétrie* assez ancienne qui existe entre les deux moitiés situées de part et d'autre de l'axe de la Seine : les pays situés au nord sont plus fortement industrialisés. Toutefois, l'évolution des vingt dernières années a atténué la différence. La décentralisation s'est faite plutôt vers l'ouest; elle a touché les villes moins en fonction de leur taille que des disponibilités en main-d'œuvre et des facilités de liaison avec Paris. Le Bassin Parisien a accueilli la plus grande partie des opérations de décentralisation : à peu près les 3/5 de 1955 à 1975. Si le progrès a été important, il ne saurait faire oublier que la décentralisation a surtout créé dans la région des emplois d'exécution pour lesquels le niveau de qualification requis est rarement élevé; les tâches de direction et d'invention restent localisées à Paris; souvent même les villes ont perdu le contrôle de leurs affaires; leur pouvoir financier est devenu dérisoire.

Quant aux activités tertiaires, elles occupent une place assez importante en volume. Elles se sont développées depuis une trentaine d'années, grâce aux initiatives du secteur public ou grâce aux décentralisations du secteur privé; on trouve même des activités de niveau supérieur dans les centres les plus gros : des universités notamment. Toutefois, le tertiaire supérieur a une place réduite; on trouve essentiellement des activités tertiaires de niveau courant ou moyen; les établissements décentralisés offrent surtout des emplois d'exécution, notamment dans le domaine de la banque et de l'assurance.

Le développement des activités secondaires et tertiaires a entraîné une forte urbanisation dans la plus grande partie du Bassin et plus spécialement le long des vallées ou des grands axes de communication. Au-delà des zones urbaines, l'espace a été complètement transformé depuis une vingtaine d'années; il est animé par d'importantes migrations de travail ou de loisir. Les bassins de main-d'œuvre des diverses villes s'interpénètrent de plus en plus. Les zones de résidences secondaires s'étendent.

Si le Bassin Parisien a une économie moderne et s'il bénéficie d'avantages appréciables par rapport au reste de la France, il souffre d'une importante faiblesse : il est *peu peuplé*. L'énorme concentration parisienne fait un violent contraste avec les densités très basses, souvent inférieures à 30-40 habitants par km², de nombreuses circonscriptions. En dehors des principales vallées, du littoral, des quelques secteurs d'industrie diffuse ou d'agriculture spécialisée, les campagnes du Bassin Parisien donnent souvent une impression de vide. C'est particulièrement vrai pour les pays situés au sud et à l'est de la région. En ce qui concerne la densité de la population, le Bassin Parisien diffère profondément du Bassin de Londres.

Pour comprendre cette situation, il faut remonter assez loin dans le passé. Le Bassin de Paris, qui n'a jamais été beaucoup peuplé, sauf à l'ouest et au nord-ouest, a été assez fortement dépeuplé lors de l'industrialisation. Au XIXᵉ siècle, quand des migrations massives ont commencé vers la capitale ou, secondairement, vers le Nord ou la Lorraine, il a servi de réservoir de population, bien avant le Massif Central ou la Bretagne. Et le mouvement s'est poursuivi au XXᵉ siècle jusque dans les années 50. C'est seulement après la Seconde Guerre mondiale que le processus de dévitalisation a été renversé grâce au développement de l'industrie et des activités tertiaires. Nombre de villes ont eu alors une croissance très rapide : notamment Chartres, Orléans, Tours, Caen et Reims.

Malgré cela, le Bassin Parisien est toujours aussi peu peuplé. On n'y trouve aucun grand foyer de population et d'activités, à l'exception de la Basse-Seine.

Un espace multipolaire

La faiblesse de l'occupation humaine pèse lourdement sur l'organisation spatiale. Pas une seule ville ne dispose d'un marché suffisant pour attirer les services rares et les entreprises qui les recherchent; pas une seule ne dispose d'une base démographique suffisante dans sa zone de rayonnement pour pouvoir se transformer en métropole. Ajoutée à la puissance de l'agglomération parisienne, la faiblesse du peuplement a entraîné la *faiblesse relative de l'encadrement urbain.* La région est animée par un assez grand nombre de villes, mais dont aucune n'occupe un rang un peu élevé dans la hiérarchie urbaine; même les deux plus importantes, Rouen et Le Havre.

Ces villes sont étroitement reliées à Paris par les multiples axes de communication qui en rayonnent; par contre, elles ont peu de relations entre elles, car leurs activités ne sont que très rarement complémentaires. Elles sont disposées sur *plusieurs orbites de plus en plus éloignées de Paris.* On en distingue au moins trois :

Une petite couronne qu'on peut qualifier de péri-urbaine, à faible distance de l'agglomération parisienne : Creil, Chantilly, Meaux, Fontainebleau, Étampes, Rambouillet et Mantes en font partie. Ces villes, situées à 40-50 km du cœur de Paris, font figure de petits centres même lorsque leur population, grâce au développement industriel, est devenue importante : elles sont trop proches de Paris pour être bien équipées. Les liaisons avec la capitale sont très fréquentes. En fait, ce sont des satellites proches, inclus dans la zone de travail de Paris.

Une couronne intermédiaire, un peu plus éloignée, avec des villes plus importantes et mieux équipées comme Compiègne, Soissons, Château-Thierry, Sens, Montargis, Orléans, Chartres, Dreux et Beauvais. Ces villes, situées entre 70 et 110 km de Paris à vol d'oiseau, sont généralement dynamiques. Parmi elles, Orléans bénéficie d'une situation de carrefour depuis longtemps mise à profit; elle a pu devenir assez grosse.

Enfin *une grande couronne*, encore plus distante, avec des agglomérations déjà importantes, assez bien équipées et ayant des zones d'influence pouvant dépasser la taille d'un département : Amiens, Reims, Troyes, Bourges, Tours, Le Mans, Caen, Le Havre et Rouen. Leur taille est surtout fonction du niveau de développement économique des alentours : elle est faible au sud où Bourges n'atteint pas les 100 000 habitants, elle est forte le long de la Basse-Seine où Le Havre a plus de 250 000 habitants et où Rouen en a 380 000. Ces villes, situées entre 140 et 200 km de Paris, sont déjà plus autonomes : leur rôle directionnel est faible ou nul, mais elles fournissent à la population presque tout ce dont elle a besoin en biens de consommation ou en services; par exemple, toutes ont des établissements d'enseignement supérieur; elles couvrent également les besoins essentiels des entreprises.

Au-delà, mais hors des limites de la région, on trouve la couronne des métropoles régionales ou des villes assimilées.

Entre ces diverses couronnes, des centres intermédiaires apparaissent, petits et modestement équipés. Ceux de la périphérie sont souvent défavorisés par leur position excentrique et par une situation désavantageuse par rapport aux axes de communication : c'est particulièrement le cas de Charleville-Mézières, Chaumont, Saumur ou Cherbourg.

La disposition des villes à l'échelle d'une région aussi vaste que le Bassin Parisien est loin d'avoir la régularité observée en Basse-Normandie. Bien des facteurs ont infléchi l'effet de la distance par rapport à Paris, mais ces facteurs ont modifié plus la taille des villes que leur niveau dans la hiérarchie urbaine. Dans les parties peu peuplées du Bassin, on ne trouve que des villes peu importantes, mais relativement bien équipées pour leur taille; dans les parties les plus peuplées ou industrialisées, on trouve de grosses agglomérations, mais assez mal équipées pour leur taille.

Aucune ville n'arrive donc à un niveau élevé dans la hiérarchie urbaine. L'écart est considérable entre Paris et les centres sous-régionaux. Loin d'aller dans le sens de la différenciation, l'évolution récente tend plutôt vers le nivellement. Chacun de ces centres ne polarise qu'un espace modérément étendu. Le Bassin Parisien se présente donc comme une *juxtaposition de petites cellules sous-régionales* n'entretenant que très peu de relations entre elles et dont le seul point commun est de vivre directement dans l'orbite de Paris. Cette multipolarisation est particulièrement accentuée dans la moitié sud-ouest de la région. Elle ne semble pas devoir être modifiée de si tôt.

Indications bibliographiques : cf. chap. 10.

CHAPITRE 10

LA PÉRIPHÉRIE
DE L'ESPACE FRANÇAIS

La périphérie de l'espace français par opposition à la partie centrale directement dominée par Paris, c'est celle où le recours à la capitale devient exceptionnel et où la population fait appel aux métropoles régionales pour les services dont elle a besoin. Elle est formée d'une série de cellules régionales dominées par des villes plus ou moins grosses, mais occupant toujours, quelle que soit leur taille, les niveaux les plus élevés de l'armature urbaine française.

A l'intérieur de cette vaste auréole, de nombreuses différences tenant à la structure économique, à l'urbanisation ou à l'organisation spatiale opposent l'Ouest et l'Est.

L'Ouest et le Sud de l'auréole périphérique

— Des espaces faibles et souvent morcelés —

A l'ouest et au sud du Bassin Parisien, au-delà de 250 km, l'influence de Paris diminue; les liaisons avec la capitale, plus longues et plus coûteuses, deviennent beaucoup moins fréquentes. On voit apparaître des villes pourvues d'équipements plus importants telles que Rennes, Nantes, Limoges et Clermont-Ferrand; mais, en vérité, aucune d'entre elles n'est bien forte et ne dessert un espace bien étendu; parler de métropoles à leur propos est forcer quelque peu le sens du mot. Il faut s'éloigner plus encore pour rencontrer des agglomérations vraiment importantes et bien équipées comme Toulouse et Bordeaux; encore leur conteste-t-on parfois le qualificatif de métropole.

A quoi est due cette situation? Surtout à la faiblesse démographique et économique de cette partie de la France : sur près des 2/5 de la superficie nationale, elle fait vivre à peine le quart de la population française et ne fournit que le cinquième du produit intérieur. De fait, la vie rurale est encore importante et l'industrialisation limitée. On ne trouve ici aucun foyer économique de grande taille. Les réseaux urbains sont élémentaires et peu étendus; les complémentarités entre villes sont rares à l'intérieur d'un même réseau. Les régions manquent de netteté.

L'Ouest de la France

« L'Ouest » est un terme vague, aux acceptions multiples. Il commence là où apparaît l'influence de grandes villes offrant des services de niveau élevé, en l'occurrence Rennes et Nantes. On a donc considéré qu'il englobait la Vendée et l'ancienne province de Bretagne. Il s'étend presque entièrement sur le Massif Armoricain, bien que sa limite ne soit pas celle du massif ancien.

Est-ce une région? Non, malgré la forte unité physique et humaine de cet espace avec son paysage bocager, son orientation rurale, ses campagnes relativement peuplées, ses industries décentralisées et ses particularités sociales et culturelles. Aucun pôle ne domine l'ensemble... sinon Paris. Les principaux axes de circulation prolongent d'ailleurs ceux du Bassin Parisien. Y a-t-il plutôt trois régions correspondant aux trois villes qui exercent des fonctions régionales, Nantes, Rennes et Brest? On répondrait volontiers par l'affirmative si ces trois villes étaient des métropoles, mais ce n'est pas vraiment le cas; de plus, leurs zones d'influence ne couvrent pas entièrement le pays, ce qui permet à des centres moyens comme Vannes, Lorient, Quimper et Saint-Brieuc de jouer un rôle relativement important.

L'espace armoricain est donc caractérisé par le *morcellement*. Dans une bonne partie de la Bretagne, les solidarités les plus nettes ne dépassent pas le cadre d'un «pays» centré sur une ville moyenne. Les trois espaces dépendant de Nantes, Rennes et Brest sont donc *plutôt des régions en formation que de vraies régions.*

Ces particularités de l'organisation spatiale traduisent manifestement un *retard*. Elles sont liées à la relative faiblesse économique de l'Ouest, qui n'a pas permis la constitution de réseaux urbains étendus. Tout cet espace souffre de sa situation excentrique à l'intérieur de l'espace national, de son insuffisant développement et de son sous-équipement en moyens de transport. L'agriculture, encore importante, se caractérise par la petite taille des exploitations et par une forte orientation laitière; les difficultés sont persistantes en raison de l'effectif élevé des agriculteurs et de l'éloignement des marchés. La pêche est une autre activité en crise. Il faut cependant noter que l'industrie a fait de grands progrès depuis vingt ans, car l'Ouest dispose d'une main-d'œuvre abondante et que le secteur tertiaire connaît, lui aussi, une croissance soutenue. Le pays est donc en pleine mutation. Du reste, le bilan migratoire, pour la première fois depuis bien longtemps, est devenu positif depuis la fin des années 60. Cependant, la situation est encore loin d'être satisfaisante. L'Ouest continue de souffrir du retard pris et le niveau de vie y est assez nettement inférieur à la moyenne nationale.

Le pays est varié. Traditionnellement, on oppose le littoral et l'intérieur, l'Armor et l'Arcoat. L'intérieur est défavorisé : légèrement accidenté, peu peuplé, peu urbanisé, mal desservi et encore très agricole, à l'exception toutefois de la partie orientale. Le littoral est plus avantagé; cultures légumières, pêche, commerce maritime, tourisme, industrie, les ressources sont nettement plus variées; on y trouve de nombreux ports ou marchés maintenant plus ou moins industrialisés; il est mieux desservi et plus dynamique.

Cette opposition, qui a plutôt tendance à s'accentuer, est cependant recoupée par la division régionale. L'Ouest est formé de *plusieurs sous-espaces dont chacun associe une partie du littoral et un morceau de l'intérieur* sous la dépendance d'un même centre. Avec la demande croissante de services de niveau élevé et l'amélioration des communications routières, les diverses parties du pays entrent peu à peu dans l'orbite des trois grands centres : Brest, Rennes et Nantes, formant ainsi trois cellules sous-régionales, la Bretagne occidentale, la Bretagne orientale, la Bretagne méridionale et la Vendée.

Le Nord du Massif Central

Dans le Nord du Massif Central, la situation est assez comparable à celle de l'Ouest en ce qui concerne l'organisation de l'espace : les centres régionaux sont peu puissants et peu dynamiques, les réseaux urbains sont réduits, les régions sont peu nettes. Les difficultés de circulation ont entraîné la formation de *deux espaces distincts*, presque sans rapports entre eux : le Limousin et l'Auvergne.

Le Limousin, c'est la région de Limoges qui correspond ici aux trois départements de la région officielle.

C'est un espace faible, très peu peuplé, peu animé, souvent marqué par le retard économique. Les conditions physiques sont assez peu favorables, il est vrai, mais c'est la faiblesse démographique qui constitue pourtant le principal handicap : le pays a perdu beaucoup de ses habitants depuis un siècle et plus. La situation s'améliore, mais elle reste médiocre tant la dégradation a été profonde. Le pays ne se développe, modérément, que le long de l'axe Paris-Toulouse qui porte les principales villes : Limoges et Brive.

Limoges est la plus petite des capitales régionales de l'auréole périphérique. Si elle a accédé à ce rang, c'est moins grâce à ses équipements que par suite de l'éloignement de Paris et de l'absence de concurrence.

La région de Clermont-Ferrand, *l'Auvergne*, correspond grossièrement à l'ancienne province : telle que nous l'avons définie, elle couvre trois départements.

C'est aussi un espace faible, peu peuplé et présentant des signes de retard économique, mais la situation y est moins défavorable, car le développement industriel a été important depuis vingt ans.

La région est plus contrastée. C'est un couloir peuplé, actif et urbanisé qu'encadre un haut pays dépeuplé et défavorisé. La partie septentrionale, déjà très sensible à l'influence parisienne, a trois villes moyennes : Montluçon, Moulins et Vichy. La partie centrale, la plus importante, est fortement dominée par *Clermont-Ferrand*.

Le Sud-Ouest de la France

Avec le Sud-Ouest, on aborde une partie de la France qui est déjà plus éloignée de Paris et qui, de plus, est partiellement isolée par deux massifs montagneux, le Massif Central et les Pyrénées; c'est une situation favorable pour la formation d'une ou de plusieurs métropoles régionales. De fait, on trouve deux grandes agglomérations qui sont les plus importantes de la France occidentale; mais force est bien de constater que la marque de ces deux cités n'est pas très vigoureuse : ce sont de gros foyers d'activité à l'échelle française, mais dont l'effet d'entraînement sur l'espace environnant a été limité; on peut même se demander si le développement présent des deux métropoles ne contribue pas à anémier le reste du pays. C'est que Toulouse et Bordeaux sont situées dans une autre partie faible de la France, dans un espace où l'évolution économique a été très lente au XIXe siècle ou dans la première partie du XXe siècle et où le dépeuplement précoce, tenace et massif a vidé le pays d'une partie de sa substance. S'il est arrêté aujourd'hui et s'il y a même eu une inversion de la tendance grâce à une expansion économique assez marquée depuis les années 70, il pèse encore fortement sur l'organisation de l'espace. En outre, le Sud-Ouest a été longtemps défavorisé par sa situation excentrique à l'intérieur de la France mais cette situation a changé depuis l'entrée de l'Espagne et du Portugal au sein de la Communauté Européenne; certes, ses produits agricoles souffrent sévèrement de la concurrence espagnole mais, d'un autre côté, le Sud-Ouest s'intègre désormais dans une périphérie où les activités industrielles et tertiaires sont en expansion au sein de l'Europe des Douze.

En dépit de nombreux traits communs, donnant aux paysages le même air de famille, *le Sud-Ouest comporte deux espaces distincts*, entretenant peu de relations entre eux et organisés par deux métropoles : la région Sud-Ouest et la région Midi-Pyrénées.

La région Sud-Ouest ou « Sud-Ouest Atlantique » est celle qui dépend de Bordeaux.

Elle est très vaste puisqu'elle s'étend sur sept départements, des pays charentais aux Pyrénées occidentales, mais cette étendue n'est pas un signe de force : elle n'est pas due au puissant rayonnement de l'agglomération bordelaise; elle s'explique plutôt par l'insuffisance du peuplement et la modestie du développement économique.

Les conditions naturelles ne sont pas en cause : elles sont plutôt favorables; autrefois d'ailleurs, c'était une des parties les plus prospères du royaume. C'est l'évolution démo-économique du XIXᵉ siècle qui explique la médiocre situation actuelle. Ce pays, qui n'a jamais eu beaucoup d'habitants, a raté le tournant de l'industrialisation. L'émigration a commencé très tôt et s'est poursuivie très longtemps. Si le dépeuplement est arrêté, le Sud-Ouest est encore très marqué par la longue phase de malthusianisme et d'inertie qu'il a connue. La région est peu peuplée, encore très rurale et peu industrialisée. Le développement industriel a été lent et tardif, certaines branches importantes comme les industries aéronautiques et le gaz naturel sont menacées. Les villes, peu dynamiques en général, sont distantes les unes des autres; n'ayant pas une clientèle très nombreuse, elles sont rarement bien équipées.

La région a une structure spatiale assez simple. Elle s'articule sur l'axe Paris-Bayonne. Bordeaux dessert directement la partie centrale; diverses villes moyennes relaient son influence aux deux extrémités, donnant ainsi naissance à deux cellules sous-régionales : les pays de l'Adour au sud et les pays charentais au nord.

L'agglomération de *Bordeaux*, favorisée par sa situation, a conquis très tôt une place dominante dans cette partie de la France. Longtemps tournée vers l'extérieur, comme bien des ports, elle s'est peu à peu ouverte sur l'intérieur des terres, étendant son influence très au-delà de son vignoble. Ses fonctions tertiaires, nettement prédominantes, se sont renforcées au cours des vingt dernières années. Ses activités de centre d'affaires sont modestes, mais la ville est très bien équipée en services. C'est aussi un centre industriel assez important. Au total, avec ses 700 000 habitants en 1990, c'est la plus grosse ville de toute la façade atlantique. Cinquième agglomération française, elle joue incontestablement un rôle de métropole régionale en dépit de certaines faiblesses; elle le jouerait mieux encore si son développement industriel lui donnait une population plus importante et si les communications à l'intérieur de la région étaient plus faciles et plus rapides.

La région Midi-Pyrénées, c'est la région de Toulouse, ou le «Sud-Ouest intérieur», par opposition au Sud-Ouest atlantique. C'est aussi une région très vaste, couvrant huit départements dans les limites adoptées ici qui sont celles de la région officielle : elles sont malheureusement peu satisfaisantes, car elles recoupent souvent les limites de la zone d'influence étendue de la capitale régionale.

La région possède bien des points communs avec le Sud-Ouest atlantique, en particulier la faiblesse de l'occupation humaine et le retard économique. Les conditions physiques sont moins bonnes, il est vrai : le relief est nettement plus accidenté, les aptitudes agricoles sont inégales, la circulation plus difficile; mais l'indigence du peuplement est moins due au milieu naturel qu'à l'histoire. Comme dans la région voisine, les ressources ont été longtemps stagnantes et le dépeuplement catastrophique. La densité de la population est de moitié inférieure à celle, déjà faible, de la France. L'économie est en retard malgré les progrès enregistrés depuis la Seconde Guerre mondiale; l'agriculture occupe encore une place importante et l'industrie est peu développée. Sur la plus grande partie de son étendue, la région est peu animée et mal équipée en moyens de communication.

Le déséquilibre entre la capitale régionale et les autres centres est ici particulièrement accentué. Presque toutes les activités industrielles et toutes les activités tertiaires de niveau un peu élevé sont concentrées à Toulouse. Dans cette région pourtant vaste, aucun centre sous-régional n'a pu s'épanouir faute d'un autre foyer d'activités un peu important.

Les marges nord et sud de la région, en partie montagneuses, sont très peu peuplées, peu développées et défavorisées à de nombreux points de vue tandis que la partie centrale est nettement plus active et mieux pourvue en villes : Montauban, Albi, Castres, Carcassonne, Auch et surtout la capitale régionale.

Toulouse doit sa fortune à une situation de carrefour qui a été très tôt valorisée dans l'histoire. Son isolement relatif à l'intérieur de l'espace français a facilité son ascension. L'agglomération est modérément industrielle, mais elle a quelques établissements importants relevant surtout des industries aérospatiales et chimiques. Ses fonctions sont avant tout tertiaires : Toulouse n'est pas une ville d'affaires, mais c'est un important centre administratif, un gros foyer commercial, un grand centre de services bien équipé particulièrement au plan universitaire et culturel. Par les fonctions qu'elle exerce et par l'étendue de son rayonnement, Toulouse est une métropole régionale. Son poids et son dynamisme font un fort contraste avec la faiblesse des autres villes et le « désert » des campagnes environnantes. Elle a désormais 650 000 habitants.

Le Midi languedocien

Le Midi languedocien peut être considéré comme la région de Montpellier, bien que les limites de la zone d'influence de la ville ne correspondent qu'approximativement à la région de programme Languedoc-Roussillon.

Cette partie de la France s'apparente encore à la partie occidentale de l'auréole périphérique par ses traits économiques ou par son organisation spatiale : l'industrie est très peu représentée, la situation économique et sociale est encore très dépendante de la production viticole. Les opérations d'aménagement qui sont en cours, pour le développement de l'industrie et du tourisme, sont en train de modifier le tableau; dans l'avenir, elles donneront à la région une structure plus proche de celle de la France orientale; mais, pour le moment, la viticulture reste l'élément dominant de l'économie. L'appartenance du Languedoc à la façade méditerranéenne ne lui confère qu'une analogie superficielle — essentiellement climatique — avec la Provence; il en diffère profondément par ailleurs.

L'allongement de la région sur un axe de communications et un nombre relativement élevé de villes moyennes donne à l'organisation de l'espace languedocien des traits particuliers. Le réseau est mal hiérarchisé. Alès, Montpellier, Nîmes, Béziers, Narbonne et Perpignan ont chacune leur zone d'influence associant un fragment de la plaine à un arrière-pays de plateaux ou de montagnes; chaque ville fournit la plupart des biens ou services dont la population a besoin; hormis le couple Montpellier-Sète, les complémentarités sont rares. Il en résulte un certain morcellement de l'espace même si Montpellier exerce, de plus en plus nettement, les fonctions d'une capitale régionale. Bien que sa population n'excède pas les 250 000 habitants, c'est une ville dynamique dont le rayonnement ne cesse de se renforcer.

Le Nord et l'Est de l'auréole périphérique

— Quelques régions solides ayant de vraies métropoles —

Au Nord et à l'Est, les caractères de l'auréole périphérique sont assez différents de ceux notés pour l'Ouest ou le Sud.

D'abord, en ce qui concerne la population et l'économie. Ici, l'agriculture n'occupe plus qu'une petite partie des travailleurs : les activités industrielles et urbaines font vivre presque tous les habitants. Le Nord, le Nord-Est et le Centre-Est ont connu une industrialisation précoce et profonde; ils sont fortement marqués par l'industrie. Le développement du Sud-Est par contre, plus récent et plus fragile, repose assez largement sur les activités touristiques. La densité de la population est plus forte et l'urbanisation plus intense que dans l'autre partie de l'auréole. Moins étendue — la partie orientale ne couvre que les 3/10 de la France —, elle est plus peuplée et plus puissante : sa population et sa production représentent un peu plus du tiers du total national.

Ensuite, en ce qui concerne l'espace. On trouve ici plus de diversité, plus de contrastes. Alors que la France occidentale a des campagnes relativement monotones, ponctuées de loin en loin par des centres urbains, la France orientale a des campagnes plus variées, d'importants bassins industriels, de vastes zones vouées au tourisme et quelques nébuleuses urbaines; c'est la traduction spatiale d'une division poussée du travail. Cette spécialisation est elle-même un facteur d'expansion, car elle entretient d'importants échanges. Les agglomérations sont plus nombreuses; les campagnes sont fortement transformées par la vie urbaine; les complémentarités entre villes sont plus fréquentes; les métropoles sont généralement plus puissantes et mieux équipées. De ce fait, les régions sont plus solides et plus nettes.

Le Nord de la France

La région du Nord a de nombreux traits originaux qui la distinguent du reste de la France et l'apparentent aux pays rhénans. Son existence en tant que région est déjà singulière : qu'un espace relativement autonome ait pu se former si près de Paris est un paradoxe. L'explication tient à une exceptionnelle concentration d'hommes et d'activités sur une surface réduite. La région est petite, mais puissante. Le développement économique, favorisé par une situation très favorable à l'intérieur de l'Europe du nord-ouest et par l'abondance ancienne de la population, a été ici particulièrement précoce. L'industrie lainière s'est développée dès le Moyen Age. L'extraction houillère et l'industrie lourde ont connu un développement remarquable au XIXe siècle.

Le Nord est ainsi devenu *un des plus gros foyers économiques de la France*. L'industrie en est très nettement le secteur clé; dans nulle autre région, les ouvriers ne sont aussi nombreux dans la population active. Le palmarès est impressionnant : pour l'acier, le ciment, le verre, la laine, le coton, la bière et le sucre, le Nord se place au premier rang des régions de programme et sa part dans la production française est considérable. L'agriculture est remarquable par son intensité et sa variété. La circulation est plus importante que dans n'importe quelle autre partie de la France à l'exception de la zone urbaine de Paris. Ce bilan doit cependant être sérieusement corrigé aujourd'hui : le Nord a une industrie puissante, mais relativement peu évoluée ; ses usines fournissent surtout des produits peu élaborés, font appel à des travailleurs faiblement qualifiés et distribuent des salaires relativement faibles. Pire : plusieurs branches importantes connaissent de graves difficultés depuis une trentaine d'années qui se traduisent par des délestages de main-d'œuvre, en particulier dans l'industrie textile, la métallurgie et la chimie ; quant à l'extraction de la houille qui était naguère un élément essentiel de l'économie, elle a été abandonnée ; le développement des activités tertiaires n'a pas suffi à compenser l'inexorable diminution des effectifs observée dans les branches en crise. La mutation économique a commencé, mais elle est douloureuse et risque de le rester encore longtemps.

Le Nord ne manque pas d'atouts néanmoins, surtout dans la perspective du grand marché européen qui sera formé en 1993. Située à proximité de l'Angleterre, du Benelux et de l'Allemagne, sa position est une des meilleures possibles au sein de la Communauté : la région est très proche des marchés les plus peuplés, les plus urbanisés et les plus riches de l'Europe. Son réseau de communications est diversifié et de bonne qualité. Elle est bordée par une des mers qui comptent parmi les plus fréquentées du globe. Enfin, le tunnel sous la Manche devrait donner une vigoureuse impulsion à son économie.

Avec ses quatre millions d'habitants, le Nord est un foyer de population dont la densité est tout à fait inhabituelle en France : plus de 300 habitants par km^2, plus de trois fois la moyenne nationale. C'est aussi la seule région à disposer d'une population aussi fortement urbanisée ; on peut vraiment parler ici, sans exagération, d'urbanisation généralisée. Les villes sont nombreuses, rapprochées, bien hiérarchisées et souvent complémentaires. Elles constituent un système urbain complexe, mais unique; les points forts en sont les vieilles villes-marchés, tandis que les agglomérations industrielles n'ont qu'un rayonnement faible ou nul; toutes les activités tertiaires de niveau supérieur sont concentrées dans la métropole régionale, il n'y a pas de centre sous-régional. En raison des difficultés économiques de la région, peu de villes sont dynamiques; en général, elles ne progressent qu'avec lenteur, car les bilans migratoires sont souvent devenus négatifs; certaines, dans le bassin houiller, voient même leur population diminuer.

La situation varie cependant d'une ville à l'autre ou d'une partie à l'autre de la région. Par son économie ou par ses paysages, le Nord est plus varié qu'on l'imagine habituellement. L'image du « pays noir » qui s'est imposée à l'extérieur de la région n'est qu'une des images du Nord. Il y en a bien d'autres.

La structuration de l'espace introduit un autre élément de variété, car elle ne procède pas selon les paysages. L'analyse des relations intra-régionales révèle une tout autre division : en trois sous-espaces distincts, ce qui n'a rien d'étonnant étant donné l'allongement de la région; mais on ne saurait parler ici de sous-régions faute de véritables centres sous-régionaux.

La partie occidentale, déjà éloignée de Lille et fortement tournée vers les activités maritimes ou industrielles, est desservie par des villes moyennes : Boulogne, Calais et Dunkerque.

La partie orientale, également éloignée de Lille, est tournée vers l'agriculture et l'industrie. Elle est animée par divers pôles tels que Maubeuge, Cambrai et surtout Valenciennes.

La partie centrale forme l'essentiel de la région. Outre l'agglomération lilloise, elle comprend la plus grande partie de l'ancien bassin houiller, un morceau de la plaine flamande et un fragment de l'Artois. Elle fait vivre plus des 3/5 de la population. Partie la plus dense, la plus industrialisée et la plus complètement urbanisée de la région, elle offre maintes ressemblances avec les grandes zones industrialo-urbaines d'Angleterre, de Belgique ou d'Allemagne par son extra-ordinaire foisonnement d'activités et son urbanisation en nébuleuse. C'est aussi la partie qui connaît les plus gros problèmes de conversion économique, de rénovation urbaine et de réaménagement spatial. Elle comporte de nombreux pôles secondaires comme Béthune, Lens, Douai ou Arras, mais plutôt mal équipés, car toutes les activités de niveau un peu élevé sont concentrées dans l'agglomération lilloise.

Lille n'est pas seulement le pôle essentiel de la zone urbaine centrale, c'est la métropole régionale. Une métropole qui ne manque pas de force en dépit des handicaps nombreux qu'elle a dû combler. Elle est gênée par sa position frontalière et par la faible distance qui la sépare à la fois de Paris et de Bruxelles. Elle est entravée par la faiblesse de sa croissance démographique; elle n'atteint pas encore le million d'habitants. Elle est défavorisée par le nombre élevé de centres dont la région est pourvue et dont chacun a son aire de rayonnement. Elle est handicapée enfin par sa forte orientation industrielle et le faible dynamisme de ses industries; ses activités tertiaires ne sont pas aussi développées que sa taille amènerait à le supposer. Malgré cela, l'agglomération lilloise a tout de même réussi à être une métropole pour le Nord grâce à ses activités de commerce et de services; comme centre d'affaires, elle a une place honorable parmi les villes de province : le 2e rang après Lyon. Son rôle régional devrait encore se renforcer avec le développement de ses activités tertiaires supérieures, l'amélioration en cours des communications à l'intérieur de la région et la mise en service du tunnel sous la Manche à partir de 1994.

Le Nord-Est de la France

Le Nord-Est de la France est, lui aussi, fortement tourné vers l'industrie. Il dispose de nombreux centres industriels, moins importants néanmoins que ceux du Nord. Il n'a aucun gros foyer d'activités ou de population. Ses métropoles n'ont pas du tout la même force que Lille. Il y a parfois même une certaine ambiguïté du fait du partage des fonctions d'encadrement entre deux villes à l'intérieur d'une même région.

Aussi, dans les trois régions qui se sont formées dans le Nord-Est, l'organisation de l'espace est-elle peu comparable à celle du Nord.

Dans chacune d'elles d'ailleurs — Lorraine, Alsace et Bourgogne-Franche-Comté —, elle offre des particularités.

La Lorraine avait apparemment de quoi former une région assez solide : elle est suffisamment éloignée pour avoir assez d'autonomie en ce qui concerne sa desserte en services, elle est relativement isolée par un cercle presque continu de faibles densités, elle possède des ressources minières ayant engendré un important développement industriel, enfin elle dispose en son centre d'un axe structurant qui a attiré villes et industries.

Pourtant, on ne trouve ici nul grand centre, nulle métropole incontestée. Cela tient largement au fait que la Lorraine n'est pas très peuplée en dépit de son essor industriel : elle n'a pas beaucoup plus de deux millions d'habitants dans ses quatre départements; l'industrialisation a, bien sûr, provoqué un afflux de travailleurs, mais qui s'est ajouté à une population peu nombreuse et qui n'a jamais pris de grandes proportions en raison du caractère hautement productif de la plupart des établissements industriels. Circonstance aggravante, les fonctions tertiaires de niveau supérieur, au lieu d'être concentrées, sont partagées entre *deux villes* situées à 60 km seulement l'une de l'autre. Cette anomalie est à mettre en relation avec la partition que la Lorraine a subie à une époque décisive du développement urbain, entre 1871 et 1918. Cette situation a favorisé l'émergence de deux petites capitales, Metz et Nancy, dont chacune ne dispose que d'une clientèle réduite.

Tout comme le Nord, la Lorraine est fortement tournée vers l'industrie et plus spécialement vers les branches qui fournissent des produits de base, la plus importante étant l'acier. La région connaît d'ailleurs des difficultés analogues à celles du Nord, par suite du recul de l'activité minière et de l'industrie sidérurgique qui est défavorisée par la faible teneur du minerai : la conversion est en cours, mais elle est lente de sorte que le problème de l'emploi y est très grave. Le tertiaire se développe, mais lentement. L'agriculture compte peu.

L'élément structurant de la région, c'est l'axe mosellan. C'est le long de cet axe, urbanisé de façon presque continue, que la plus grande partie de la population lorraine se trouve rassemblée, particulièrement entre Nancy et Thionville, sur une centaine de kilomètres : on y trouve notamment les deux villes principales.

De ces deux villes, Nancy est la plus importante et la mieux équipée : c'est la seule à rayonner vraiment sur l'ensemble de la Lorraine pour certains services. Néanmoins, l'évolution historique a donné naissance à *deux sous-systèmes urbains mal liés entre eux.* Celui de Metz intéresse la Lorraine du Nord tandis que celui de Nancy concerne la Lorraine centrale et méridionale.

En fait, les deux centres sont concurrents pour la plupart des activités tertiaires privées et complémentaires pour les services publics. Cette situation a donné l'idée de promouvoir une métropole linéaire Nancy-Metz-Thionville le long de l'axe mosellan. Politique discutable en raison de l'éloignement des deux pôles principaux et du très faible rayonnement de Thionville, mais qui a créé une situation de fait en renforçant Metz. Si elle est maintenue, la concurrence pourrait à la longue faire place à la complémentarité. Pour l'instant, la rivalité est vive. La formation d'une métropole linéaire n'est pas encore pour demain.

L'Alsace offre une situation plus claire. Les conditions de formation d'une région sont réunies : l'éloignement de Paris, une population dense et fortement urbanisée, une incontestable originalité culturelle, enfin un relatif isolement dû aux Vosges et à la frontière — dans la mesure où celle-ci a été longtemps une coupure à l'intérieur de l'Europe. De fait, on trouve ici une région bien dessinée et dotée d'une personnalité vigoureuse bien que la population ne dépasse guère un million et demi d'habitants.

Cette personnalité, l'Alsace la doit d'abord à son histoire, très liée à celle du monde germanique. Exceptionnellement, la région se confond ici avec la province historique. Le passé et la situation de l'Alsace en Europe expliquent l'importance de ses relations présentes avec la Suisse et l'Allemagne.

La structuration de l'espace ne se fait pas selon les traditionnelles divisions physico-agricoles — Vosges, vignoble, plaine — mais transversalement. Il y a *deux sous-espaces* : Haute et Basse-Alsace,

Haut et Bas-Rhin, pays de Mulhouse et pays de Strasbourg. Ce n'est pas surprenant du reste : l'étirement de la plaine sur 160 km a facilité l'essor de deux pôles; il a permis à chacun d'eux de développer son influence régionale, d'autant que les communications ont été lentes jusqu'à une date récente. De ce fait, il y a deux ensembles de villes.

La situation est d'ailleurs en pleine évolution comme l'économie alsacienne elle-même et la bicéphalie n'est plus qu'apparente. Strasbourg a en effet des atouts plus nombreux et plus solides : la ville étend peu à peu son influence sur toute l'Alsace et même un peu au-delà, sur le nord de la Lorraine ou même sur le centre du pays de Bade. C'est incontestablement le centre tertiaire le plus important de la France du Nord-Est.

L'ensemble *Bourgogne-Franche-Comté* diffère profondément de l'Alsace ou de la Lorraine. C'est un espace intermédiaire, mal vertébré, manquant d'un véritable point fort, difficile à définir, sinon négativement, par référence aux régions voisines dominées par Paris, Lyon, Nancy ou Strasbourg; il est d'ailleurs soumis à des tendances centrifuges : le groupe urbain Belfort-Montbéliard noue de plus en plus de liens avec Mulhouse; Châtillon-sur-Seine et Montbard regardent nettement vers Paris, tandis que le sud du Jura est orienté vers Lyon. C'est un espace faible où l'industrialisation a été tardive, où la population est peu dense et dont la situation de carrefour, pourtant remarquable, est mal valorisée.

A-t-on d'ailleurs affaire à une région? On peut en douter. Il y a deux réseaux urbains centrés sur Besançon et Dijon. La structure spatiale n'est pas sans analogie avec celle de l'Ouest : morcelée, dépourvue d'une véritable métropole, trop éloignée de la capitale pour être dans sa zone d'influence directe, mais trop faible pour être entièrement autonome en ce qui concerne la desserte en services. On y distingue plusieurs sous-espaces : celui de la Porte d'Alsace, celui de Besançon et surtout celui de Dijon.

La Région Lyonnaise

Lyon est la seule ville de province dont on utilise communément le nom pour désigner une région. Hors de Paris, il est vrai, c'est la seule ville qui ait marqué profondément les pays qui l'entourent, loin à la ronde.

Le fait peut sembler surprenant à première vue, car tout l'espace dépendant de Lyon est très fragmenté par le relief : il est à cheval sur le Massif Central, le couloir rhodanien, le Jura et les Alpes; le relief rend les communications plus difficiles, canalise les flux et favorise la formation de petites cellules de vie. Cet espace n'a pas davantage acquis d'unité historique, il a presque toujours été partagé entre plusieurs commandements au cours des siècles et le Lyonnais n'était autrefois qu'un petit territoire proche de la ville. La région ne doit sa formation ni au cadre naturel, ni à une entité politique du passé. Elle la doit à l'activité des Lyonnais, plus particulièrement au rôle exercé par ses banquiers, commerçants et industriels aux XIXe et XXe siècles.

En tout cas, c'est une région incontestable, solide, puissante, dotée d'une authentique métropole et supportant bien la comparaison avec nombre de solides régions italiennes ou allemandes. Lyon sert de place centrale à un très vaste espace couvrant dix départements et occupé par plus de cinq millions d'habitants : outre les départements de la région de programme, on a ajouté ici la Haute-Loire et la Saône-et-Loire. Cette emprise de Lyon sur la partie centre-est de la France se matérialise d'ailleurs par une étoile de voies ferrées, routières et autoroutières, la seule notable en dehors de celle que Paris a engendrée.

La région doit largement sa puissance à son industrie. Elle possède non seulement trois centres industriels importants, mais aussi divers centres plus petits qui, tous ou presque, entretiennent de nombreuses relations entre eux. Ils fournissent une grande variété de produits métallurgiques, chimiques ou textiles ayant souvent une forte valeur ajoutée et exigeant une main-d'œuvre qualifiée. Les activités tertiaires sont importantes : la région dispose d'un grand nombre de centres de commerce et de services, car l'urbanisation y est forte. On notera en particulier l'importance du développement touristique dans l'ensemble des Alpes et surtout en Haute-Savoie. L'agriculture apparaît plus discrètement dans le bilan économique : surtout orientée vers l'élevage, elle comporte aussi quelques secteurs spécialisés dans la vigne ou les arbres fruitiers le long du couloir Saône-Rhône.

Cet espace est très inégalement peuplé. La concentration de la population dans les aires urbaines est forte. Presque tout l'espace régional est profondément marqué par les villes, même lorsque sa physionomie semble rurale : beaucoup de campagnes vivent en effet d'emplois urbains, de l'industrie diffuse ou du tourisme.

Les agglomérations sont nombreuses et importantes. La Région Lyonnaise est la seule de France, hors du Bassin Parisien, à avoir *plusieurs grandes villes* : Lyon dépasse nettement le million d'habitants désormais, les zones urbaines de Saint-Étienne et de Grenoble en ont un demi-million chacune, quatre villes ont environ 100 000 habitants : Valence, Chambéry, Annecy et Roanne. La présence de deux grandes villes à proximité relative de Lyon et la décision de constituer une métropole tripolaire de Lyon-Saint-Étienne-Grenoble ne doivent pas faire penser à une quelconque analogie avec le système urbain lorrain. L'évolution a été très différente ici. Saint-Étienne est une ville industrielle dont l'essor date du siècle dernier, mais qui reste très dépendante de Lyon. Grenoble est une ville tertiaire et industrielle dont la rapide ascension date des quarante dernières années et dont l'autonomie vis-à-vis de Lyon est maintenant assez grande, mais incomplète : la population des Alpes du Nord fait appel à Lyon pour certains services spécialisés. Dans la réalité, il n'y a pas de métropole tripolaire; les équipements ne sont pas répartis entre les trois villes.

L'espace régional est d'ailleurs organisé par Lyon et son système urbain complexe. Il est formé schématiquement d'une zone centrale ne dépassant pas 60-80 km de rayon et de marges périphériques pouvant aller jusqu'à plus de 150 km de la ville.

Les marges sont particulièrement étendues au sud et à l'est de la région. Déjà éloignées de la métropole, elles ont des villes relativement bien équipées pour leur taille : Le Puy, Valence, Chambéry, Annecy et surtout Grenoble.

La partie centrale de la Région Lyonnaise est celle où Lyon exerce le plus nettement son influence, la plus soumise à son emprise commerciale et industrielle. Ici, les centres entretiennent avec la métropole des relations étroites et sont assez mal équipés pour leur taille, qu'il s'agisse de Bourg-en-Bresse, de Mâcon, de Roanne ou même de Saint-Étienne.

Lyon est la plus forte des métropoles régionales françaises. Elle ne souffre pas des mêmes handicaps que Marseille ou Lille, et elle est suffisamment éloignée de Paris pour ne pas en sentir beaucoup la concurrence sur l'espace qu'elle domine. Sa situation de carrefour est depuis longtemps exploitée : elle a favorisé l'ascension de la ville et l'essor de ses fonctions commerciales et bancaires dès le Moyen Age. Son développement industriel, puissant et diversifié, a largement soutenu sa croissance depuis un siècle et demi ; il lui a permis de devenir une grosse agglomération ayant 1,25 million d'habitants. Cependant, elle n'a pas la taille qu'on serait en droit d'attendre de la deuxième ville française. Les activités directionnelles ne sont pas très importantes, car Lyon en a perdu beaucoup au profit de Paris depuis la fin du siècle dernier; son rôle se renforce à nouveau depuis une quinzaine d'années cependant dans le cadre de la politique de rééquilibrage des activités tertiaires. La ville dispose de bons équipements de transport, d'une solide infrastructure bancaire, d'un gros appareil commercial et d'un bon éventail de services de qualité à l'intention des particuliers ou des entreprises; c'est un centre d'affaires d'une certaine envergure, faible à côté de Paris bien sûr, mais occupant nettement le premier rang en province. Mieux que toute autre ville, Lyon est donc en mesure d'être une véritable métropole d'équilibre. L'agglomération s'accroît modérément, mais régulièrement : on prévoit qu'elle pourrait atteindre 1,5 million d'habitants en l'an 2000.

Le Sud-Est de la France

Le Sud-Est se distingue du reste de la France par l'orientation essentiellement tertiaire de son économie et par l'attraction puissante qu'il exerce grâce à son climat et à ses paysages. Il se distingue aussi par ses fortes disparités internes : le contraste est particulièrement vigoureux ici entre les « déserts » de l'intérieur et les zones d'activité disposées le long d'une bande, en forme d'arc de cercle, s'étirant de la basse vallée du Rhône au littoral niçois. Cette bande peuplée et fortement urbanisée est dominée par deux agglomérations exerçant des fonctions régionales : Marseille et Nice.

Le Sud-Est n'est donc pas formé d'une seule région comme dans le découpage officiel, mais en réalité de deux régions distinctes : la Provence et la Côte d'Azur.

La Provence peut être considérée comme la région de Marseille. On pourrait s'attendre à trouver ici un espace comparable à la Région Lyonnaise, puisque Marseille est presque l'égale de Lyon en termes démographiques ou économiques. Certains facteurs y sont même plus favorables : l'agglomération est encore plus éloignée de Paris, elle ne souffre guère de la concurrence des grandes villes voisines, elle offre de bonnes conditions pour l'installation d'un port et elle s'ouvre sur une mer fréquentée; enfin les environs recèlent d'importantes possibilités de développement. Pourtant, Marseille n'a pas le même impact sur les pays environnants; son rayonnement régional est nettement plus réduit que celui de Lyon. La Provence est moins peuplée et moins forte économiquement que la Région Lyonnaise. Elle est aussi deux fois moins vaste; elle ne s'étend pas très loin de la ville, sauf en direction des Alpes du Sud où l'influence marseillaise ne rencontre aucune concurrence.

Les conditions naturelles peuvent sembler pour une part responsables de cette situation. En dehors des plaines du Bas-Rhône, le relief de la Provence est très accidenté; il gêne les communications et compartimente l'espace. En fait, ce ne sont pas les difficultés de circulation qui expliquent la relative faiblesse de Marseille comme métropole régionale, mais l'orientation qu'a prise son économie durant une longue période. Pendant des siècles, la ville a regardé plus vers la mer que vers la terre et a investi davantage dans les affaires maritimes ou coloniales que dans les entreprises agricoles ou industrielles des environs. Une région s'est formée malgré tout dans la mesure où la ville, pourvue d'équipements tertiaires importants, a exercé un rayonnement étendu, mais la région n'a pas été une création volontaire comme dans le cas précédent. Depuis un demi-siècle, Marseille s'intéresse beaucoup plus à son arrière-pays, mais, aujourd'hui encore, quantité d'affaires installées dans la région échappent à son contrôle.

Cette situation n'a pas empêché la Provence de connaître une remarquable expansion depuis la Seconde Guerre mondiale, caractérisée notamment par le développement des infrastructures de transport, par divers aménagements hydrauliques favorisant l'agriculture irriguée, par l'essor industriel de l'aire métropolitaine marseillaise, par un net renforcement des activités tertiaires de niveau élevé à Marseille même, enfin et surtout par le développement du tourisme et des résidences secondaires le long du littoral varois ou dans la Basse-Provence intérieure. Si l'expansion a été forte, il convient néanmoins de noter que le taux d'activité est faible et que le tertiaire banal y occupe une place excessive.

En raison du relief, la répartition des hommes et des activités est très inégale. La Provence se caractérise par un vigoureux contraste entre un arrière-pays presque abandonné et un bas-pays peuplé et fortement urbanisé.

L'arrière-pays est assez profond, car la vallée de la Durance permet à l'influence de Marseille de pénétrer loin à l'intérieur des Alpes. Il est sec, montagneux et très peu animé. Tout le pays est desservi par de petits centres comme Gap, Digne ou Manosque, mais dépend de Marseille pour les services de niveau élevé.

Dans *les pays du Bas-Rhône* ou le *long de la façade littorale*, sur une largeur de 20-30 km, les conditions sont beaucoup plus favorables : relief modéré comportant des plaines et quelques couloirs de circulation, rivières fournissant de l'eau d'irrigation ou de l'énergie, littoral découpé se prêtant aux activités maritimes ou touristiques. De fait, on y trouve la plus grande partie de la population provençale.

Cette bande allongée se compose de trois parties nettement différentes, dont chacune a une orientation économique particulière : les plaines du Bas-Rhône (animées par Avignon), le littoral varois (avec la ville de Toulon) et une grande ville-centre (Marseille).

Marseille domine l'ensemble. La ville est à la tête d'une aire urbaine étendue et complexe, formée d'une série de noyaux urbains plus ou moins spécialisés et entretenant des relations étroites avec elle; les activités tertiaires de niveau élevé sont localisées dans la ville même ou dans son annexe d'Aix-en-Provence, tandis que les activités industrielles dominent nettement à La Ciotat, Marignane, Martigues ou Fos. Cet ensemble urbain forme un grand foyer commercial, un important centre de services, un centre d'affaires aux horizons lointains, un grand port et un gros foyer industriel. Le port occupe le premier rang en France; depuis vingt-six siècles, c'est même la raison d'être de la ville; il connaît toutefois des difficultés croissantes face à la sévère concurrence de Gênes et de Barcelone. L'industrie est née du trafic portuaire; elle a pris de l'ampleur autour de l'étang de Berre avec le raffinage du pétrole, les usines pétrochimiques et la sidérurgie, mais l'activité industrielle connaît aussi de sérieuses difficultés depuis une dizaine d'années. Les activités tertiaires sont plus orientées vers les relations lointaines que vers la région; des progrès ont néanmoins été faits pour donner à Marseille une véritable fonction régionale; ses équipements commerciaux, administratifs, universitaires ou hospitaliers se sont renforcés et sont de bonne qualité. Son rayonnement se fait de plus en plus sentir sur les cinq départements de la région. Marseille est devenue une métropole régionale. En dépit de cette transformation, la croissance urbaine est devenue lente. Pendant longtemps, Marseille fut la deuxième ville de France. Avec ses 1,2 million d'habitants en 1990, elle est désormais distancée par Lyon, sans perspective de rattrapage pour le moment.

La Côte d'Azur, c'est la région de Nice.

Qu'une région se soit formée ici, à la pointe sud-est du territoire, n'est pas surprenant. Cette Riviera à fréquentation internationale est devenue un important foyer d'activités où vivent en permanence un million de personnes; or, ce foyer a été longtemps isolé, loin de Marseille et mal relié au reste du pays. Aujourd'hui, les liaisons sont devenues plus satisfaisantes, mais la région a acquis une assez grande autonomie pour sa desserte en services; elle a peu de liens avec Marseille; en cas de nécessité, elle fait appel à Paris qui est à une heure d'avion. Cette autonomie a été rendue possible dans la mesure où Nice a acquis peu à peu les activités tertiaires de niveau supérieur à tel point qu'on peut désormais l'assimiler à une petite métropole.

Nice est une ville bien équipée. Son aéroport est le deuxième de France. Son influence s'étend sur les Alpes-Maritimes et l'est du Var. Elle est à la tête d'une conurbation linéaire étalée sur une centaine de kilomètres le long du littoral et dont les éléments principaux sont Fréjus, Cannes, Grasse, Antibes, Monaco et Menton.

La Corse

— Un espace à part —

Montagne dans la mer, la Corse est un espace à part. Elle n'appartient pas à la partie orientale de l'auréole périphérique. Ce n'est pas une région au sens où ce mot a été utilisé ici. Sans doute est-ce une province historique — et une province dotée d'une forte personnalité et d'une indéniable identité culturelle —, mais ce n'est pas une région faute d'une capitale régionale. Pour satisfaire ses besoins en services de niveau élevé, la Corse doit faire appel aux métropoles les plus proches, Nice et Marseille, mais elle n'en dépend pas vraiment, car elle en est trop distante.

La Corse est donc en marge. L'île souffre de nombreux handicaps : insularité, éloignement, liaisons incommodes et coûteuses avec le continent, relief très montagneux, faible peuplement, retard économique et sous-équipement. Avec 250 000 habitants, il n'y a pas de quoi susciter sur place, spontanément, des équipements de niveau élevé. Fait aggravant : l'île se divise en deux façades opposées du fait de son relief ; la population fait appel à deux petits centres concurrents, Ajaccio et Bastia. L'intérieur, très accidenté, est en grande partie abandonné.

Les possibilités de développement sont importantes dans le domaine de l'agriculture irriguée et surtout du tourisme, mais supposent une amélioration décisive des communications intérieures et des relations avec le continent.

*

La nature et l'histoire ont conféré des traits originaux à chacune des régions françaises, mais le tableau qui vient d'être présenté montre néanmoins *certains traits communs quant à leur organisation spatiale.*

Chaque région se structure plus ou moins selon la distance à la métropole. Presque toujours s'impose la distinction entre un espace proche et des marges éloignées. La nature et la fréquence des relations avec la métropole ne sont pas les mêmes dans le premier ou dans les secondes ; de même que la taille des villes et le niveau de leurs équipements tertiaires.

Chaque région a un noyau central dont le poids est souvent très lourd. Dans la plupart des cas, c'est un foyer d'activités diverses dont la contribution à la production régionale brute est considérable : Toulouse fournit à peu près le quart de toute la production de sa région, Bordeaux un peu plus du quart, Lille à peu près le tiers, Clermont-Ferrand environ les 2/5 ; pour Limoges, Strasbourg et Marseille, cette part s'élève à la moitié ; enfin pour Nice, c'est plus de la moitié. En outre, le noyau central concentre l'essentiel des activités « nobles » : les tâches de direction et d'organisation, les services de haut niveau et les activités industrielles demandant une main-d'œuvre très qualifiée.

A l'intérieur de chaque région, la différence entre la « tête » et le « corps », entre la métropole et le reste, tend à s'accroître. Au cours des années 60 et 70, les métropoles ou les capitales régionales ont toutes connu une croissance plus rapide que le reste des diverses régions; le phénomène est particulièrement accusé dans la France « faible » : ainsi, dans le Limousin et l'Auvergne, les agglomérations de Limoges et de Clermont-Ferrand ont fait preuve d'un assez grand dynamisme, alors que les campagnes ou les montagnes environnantes ont vu leur déclin s'accentuer; dans la région Midi-Pyrénées, l'agglomération de Toulouse a absorbé les 4/5 de l'accroissement régional de la population.

L'importance et le niveau des équipements de la métropole dépendent évidemment de facteurs nombreux. Il faut souvent remonter loin dans l'histoire pour les saisir, mais l'évolution démo-économique enregistrée depuis un siècle ou un siècle et demi a été visiblement essentielle. Là où l'évolution a permis la concentration de populations nombreuses, des régions solides se sont formées; là où le peuplement est peu dense et où l'économie est restée largement rurale, les régions sont faibles; à ce point de vue, l'ouest et l'est de la France se distinguent nettement. L'orientation économique donnée par les bourgeoisies locales pendant le xixe siècle a également joué un rôle important : la différence est forte entre les ports maritimes comme Nantes, Bordeaux ou Marseille et les grandes villes-marchés de l'intérieur comme Lille, Strasbourg ou Lyon; dans les premiers, la bourgeoisie était surtout préoccupée par les affaires maritimes ou coloniales, tandis que dans les seconds, elle a patiemment étendu ses activités dans les espaces avoisinants.

Les limites des régions ne sauraient être considérées comme définitivement fixées, même lorsqu'elles correspondent, comme c'est souvent le cas, à des zones de faiblesse du territoire ayant peu d'habitants et peu d'activités, voire même lorsqu'elles correspondent à des reliefs. Elles ont changé lentement avec l'évolution des moyens de transport et par suite de l'inégal dynamisme des capitales régionales. Elles sont donc susceptibles de changer encore. Aujourd'hui, cependant, les changements ne sont plus le produit de la concurrence commerciale des villes, ils peuvent être largement dus à la politique d'aménagement du territoire.

LECTURES

Pour compléter les chapitres 9 et 10, la bibliographie disponible est extrêmement abondante. Une simple liste des publications importantes demanderait plusieurs pages.

On se contentera ici de renvoyer aux principaux ouvrages traitant de la géographie régionale de la France. On y trouvera des bibliographies détaillées pour les diverses régions :

BRUNET (R.) (sous la direction de), *La France*, Paris, Larousse, coll. « Découvrir la France », 7 vol., 1972 à 1974.

ESTIENNE (P.), *Les régions françaises*, Paris, Masson, 1991, 2 vol., 264 et 271 p.

PAPY (L.) (sous la direction de), *Atlas et géographie de la France moderne*, Paris, Flammarion, 1976-1983, 16 vol.

PUMAIN (D.), SAINT-JULIEN (Th.), FERRAS (R.), *France, Europe du sud*, Hachette-Reclus (Coll. Géogr. Univ.), 1990, 479 p. (France p. 8-226).

La France par huit, La Doc. photogr., Paris, La Doc. Franç., (8 fasc., 1975 à 1977).

Les études portant sur les différentes régions sont nombreuses. Il existe en particulier une bonne collection en cours de parution dans la série « La question régionale » (Paris, P.U.F.) sous la direction de P. Claval.

Sur la plupart des agglomérations importantes, on trouve des informations très détaillées dans la collection « Les villes françaises », *Notes et Et. Doc.,* La Doc. Franç., Paris. Sur l'agglomération parisienne : BEAUJEU-GARNIER (J.), « Place, vocation et avenir de Paris et de sa région », *Notes et Et. Doc.* n° 4142-43, 1974, 64 p. PINCHEMEL (Ph.), *La Région Parisienne*, Paris, P.U.F. (*Que sais-je?* 1790), 1979, 128 p.

Enfin, les cartes et les notices des *Atlas régionaux* fournissent de nombreuses informations intéressantes.

CHAPITRE 11

L'AMÉNAGEMENT DE L'ESPACE FRANÇAIS

La configuration actuelle de l'espace français est le produit d'une longue histoire, d'une infinité d'actions de la part de l'État, des entreprises ou des particuliers; mais c'est surtout le produit d'un siècle et demi de croissance rapide, d'industrialisation et d'urbanisation. C'est l'évolution économique de cette période décisive, longtemps marquée par le libéralisme, qui a accusé la spécialisation des diverses parties du territoire, qui a concentré les fonctions de commandement dans quelques pôles et l'activité industrielle dans certaines régions, qui a enfin entraîné une série de déséquilibres.

L'idée d'exercer une action corrective sur la localisation des activités est relativement récente : dans les pays capitalistes industrialisés, elle remonte à la grande crise économique du début des années 30. La France y est venue plus tard encore, bien après l'Angleterre, l'Italie ou même les États-Unis. En fait, la politique d'aménagement du territoire français n'a commencé vraiment que dans les années 60, avec une génération de retard sur divers pays voisins. En revanche, elle y a pris un tour plus systématique. Mais quels en sont les objectifs, les moyens et les résultats? L'image de l'espace français en est-elle modifiée?

Les objectifs de l'aménagement du territoire

— Des options nombreuses et changeantes —

L'idée d'aménager le territoire ne s'est imposée que très lentement après la Seconde Guerre mondiale, avec la prise de conscience du gigantisme parisien par opposition à la faiblesse de la province. A ce point de vue, l'ouvrage de F. Gravier sur *Paris et le désert français* (1947) a exercé une grande influence.

On a d'abord songé à corriger le déséquilibre majeur du territoire, mais la politique d'aménagement a considérablement élargi son action par la suite. Ses objectifs ont peu à peu changé avec l'apparition de problèmes nouveaux ou, parfois, sous l'effet des modes ou des pressions politiques.

Pour simplifier, on peut distinguer quatre périodes en ne retenant que les inflexions les plus importantes :

1. Au début, *du milieu des années 50 jusqu'en 1963*, l'objectif était limité : il s'agissait d'obtenir un meilleur équilibre spatial en agissant sur la localisation des activités industrielles dans le cadre d'une politique économique visant avant tout à développer l'industrie française. Diverses mesures financières ont alors été prises pour aider la déconcentration d'entreprises parisiennes et faciliter l'installation d'établissements en province.

La politique d'aménagement a donc commencé par des actions de faible ampleur, à caractère sectoriel, mais elle a cependant amorcé une nouvelle répartition des activités.

2. *De 1963 à 1973,* avec la création de la Délégation à l'Aménagement du Territoire et à l'Action Régionale (D.A.T.A.R.), cette politique a changé de dimensions et rencontré une plus grande audience auprès de l'opinion, des chefs d'entreprise ou des admi-

nistrations. Certains effets négatifs d'une croissance économique rapide et peu soucieuse des hommes commençaient à se faire sentir : concentration des activités dans les grandes zones urbaines, exode rural massif, insuffisance des équipements de transport, crise des vieilles régions industrielles, déséquilibre croissant des niveaux de revenus. Il fallait trouver des solutions.

Tout en accélérant la décentralisation industrielle — ou, plus souvent, le développement industriel hors de Paris —, l'aménagement du territoire a étendu progressivement son cadre d'intervention en favorisant la déconcentration des activités tertiaires, le développement des équipements de transports et de télécommunications, l'essor des activités touristiques ou l'aménagement des villes. Pour freiner la croissance parisienne, des mesures plus sérieuses ont été adoptées. En province, les efforts ont surtout visé à développer l'industrie dans les pays de l'ouest et du sud-ouest, à convertir l'économie des vieux pays industriels du Nord et de la Lorraine ou à promouvoir les métropoles d'équilibre. Diverses réformes ont également eu pour but de donner un peu plus de consistance aux régions de programme et de mieux tenir compte des besoins régionaux lors de la préparation des plans. De sectorielles qu'elles étaient au départ, les actions d'aménagement ont pris peu à peu un caractère global.

3. *De 1973 à 1981*, avec la création des 22 régions, l'aménagement a pris un tour plus politique, car de nombreux problèmes ont fait l'objet de discussions élargies et ont acquis des dimensions inattendues en se greffant parfois sur des revendications régionalistes. En outre, de nouvelles préoccupations sont venues s'ajouter aux précédentes. La « désertification » de certains espaces ruraux, l'insuffisance numérique des emplois dans les zones minières ou textiles, le faible niveau de qualification de la plupart des nouveaux emplois créés en province et le manque d'équipements collectifs dans nombre de villes sont source de difficultés; les nuisances multiples engendrées par l'industrialisation et l'urbanisation, la destruction des paysages, la pollution, la dégradation de la vie quotidienne dans les grandes villes sont de plus en plus mal acceptées.

Enfin et surtout, la crise économique a diminué les moyens; or, il est beaucoup plus difficile d'infléchir l'évolution spatiale de l'appareil de production dans une période de croissance faible que dans une phase de croissance rapide.

Ces nouvelles préoccupations n'ont pas éliminé les objectifs précédemment définis, mais elles ont entraîné des changements d'orientation pour la politique d'aménagement. Les villes moyennes ou petites sont désormais en faveur. Des mesures sont prises pour revivifier certaines zones rurales, pour préserver les espaces les plus fragiles et plus particulièrement le littoral, pour favoriser la décentralisation du tertiaire supérieur, pour accélérer la mise en place d'équipements collectifs, pour attirer les investissements étrangers et pour privilégier la qualité du cadre de vie.

4. *Depuis 1981,* la politique d'aménagement a connu d'importantes modifications. Les objectifs essentiels ont d'abord été la réduction des inégalités et la décentralisation, puis la modernisation de l'appareil industriel. Cette nouvelle politique se fait dans une conjoncture difficile; la concurrence des pays à main-d'œuvre bon marché, l'ampleur des mutations technologiques dues au développement de la bureautique et de la robotique, enfin l'insuffisance des investissements font apparaître des sureffectifs dans nombre de branches; la croissance économique est lente et le chômage touche environ un actif sur dix. Dans ces conditions, l'aménagement a surtout un objectif social : il cherche à limiter l'aggravation de la situation de l'emploi dans les bassins industriels les plus frappés par la crise.

La politique d'aménagement a également changé de méthode : elle n'est plus imposée mais négociée et décentralisée; les régions, qui sont devenues des collectivités territoriales en 1982, doivent avoir dorénavant leur propre politique d'aménagement et s'associer à l'État, sous forme de contrats de plan, pour atteindre leurs objectifs; l'harmonisation des objectifs nationaux et régionaux fait l'objet de discussions dans le cadre de la préparation des plans. La D.A.T.A.R. conserve un rôle de coordination mais, désormais, « l'action régionale » compte plus que « l'aménagement du territoire ». L'aménagement est désormais, pour l'essentiel, l'affaire des régions.

Les structures de l'aménagement du territoire

— Des moyens variés, mais des limites —

De toute façon, la principale difficulté d'une politique d'aménagement du territoire n'est pas de définir des objectifs, mais de les atteindre.

Pour cela, diverses structures ont été peu à peu mises en place.

La définition des objectifs relève en principe de la Commission nationale d'Aménagement du Territoire formée au sein du Commissariat au Plan. Lors de l'élaboration de chaque plan, cette Commission propose les buts à atteindre et les orientations à donner.

La réalisation des objectifs fixés dépend surtout des régions aujourd'hui mais la D.A.T.A.R. conserve un rôle de réflexion, d'impulsion et de coordination. Ce n'est pas une administration à proprement parler, c'est un état-major de spécialistes qui a été successivement rattaché à divers ministères. L'option essentielle sur laquelle repose son action est que le développement régional doit dépendre des administrations classiques; de fait, la plupart des ministères interviennent dans l'aménagement : le ministère de l'Agriculture pour définir les plans d'aménagement rural, le ministère de l'Industrie pour favoriser la conversion des industries en crise ou développer des activités industrielles nouvelles, le ministère de l'Équipement pour développer les équipements de transport ou pour définir les schémas d'aménagement et d'urbanisme, le ministère de l'Environnement pour la protection de la nature et la lutte anti-pollution, etc.; la cohérence de ces multiples interventions est obtenue lors des réunions du Comité Interministériel d'Aménagement du Territoire, instance de synthèse réunissant les ministres concernés par les problèmes d'aménagement et décidant des actions à mener. La Délégation dispose en propre d'une dotation budgétaire qui lui permet de financer le démarrage de certains projets; les autres crédits viennent des ministères ou des régions. Ajoutons enfin que la D.A.T.A.R. est à l'origine de la création de nombreux organismes qui, hors des administrations, permettent la mise en œuvre de certaines opérations d'aménagement : commissariats à la conversion industrielle, commissariats à la rénovation rurale, groupe central de planification urbaine, missions interministérielles d'aménagement, organismes d'études et d'aménagement des aires métropolitaines...

Les moyens d'intervention sont nombreux et variés. Les enveloppes budgétaires ne sont pas négligeables. La prime d'aménagement du territoire, financée sur crédits d'État, ou la prime régionale à l'emploi, financée sur crédits régionaux, est accordée aux entreprises industrielles ou tertiaires créant ou décentralisant des emplois permanents dans certaines parties de la France.

Les aménagements effectués

— Des actions très diverses —

De nombreux changements ont été malgré tout apportés à l'espace français depuis la mise en place d'une politique d'aménagement. Les actions ont soit intéressé un secteur économique particulier, soit pris un caractère global.

Les principales actions sectorielles

1. *L'agriculture* a été un des premiers terrains d'intervention des pouvoirs publics. Il est vrai qu'elle posait de délicats problèmes en raison du recul rapide du nombre des exploitations, de l'abandon de certaines parties de l'espace agricole et des difficultés persistantes de certains types d'activité.

Dès les années 50, plusieurs sociétés d'économie mixte ont été créées pour des opérations de modernisation ou d'aménagement : la Société des Friches de l'Est pour la récupération agricole ou le reboisement de terres abandonnées, la Compagnie des Marais de l'Ouest pour l'aménagement des zones marécageuses de la côte atlantique, la Compagnie des Coteaux de Gascogne et la Compagnie du Canal de Provence pour le développement de l'irrigation, la Société de Mise en Valeur de la Corse pour la transformation de la plaine côtière orientale, la Société de Mise en Valeur de l'Auvergne et du Limousin pour le reboisement ou le développement de l'élevage; la plus importante, la Compagnie nationale d'Aménagement du Bas-Rhône-Languedoc, s'est donnée pour but de reconvertir partiellement le vignoble languedocien en développant les cultures légumières, fruitières et herbagères irriguées; les périmètres situés entre le Rhône et Montpellier sont déjà équipés et mis en valeur. Parmi les actions plus récentes, citons encore le programme spécial de développement du Massif Central, lancé en 1975, et la Mission du Grand Sud-Ouest, lancée en 1979, pour les régions Aquitaine, Midi-Pyrénées et Languedoc-Roussillon; ces deux actions comportent une partie agricole et cherchent à développer l'élevage et la production forestière.

Au total, c'est surtout la partie méridionale de la France qui a bénéficié de ces interventions. Si elles ont donné des résultats importants dans certaines parties de la Corse et du Languedoc, leur effet sur le rééquilibrage de l'espace français a évidemment été faible.

2. *L'industrie* a été le secteur préféré de la politique d'aménagement du territoire. Pendant longtemps d'ailleurs, le redéploiement spatial de l'industrie a paru se confondre avec elle. Les conditions ont été très favorables en raison du fort mouvement d'industrialisation que la France a connu pendant une vingtaine d'années mais se sont beaucoup détériorées à partir de 1973 jusqu'à devenir franchement mauvaises au début des années 80.

Pendant la période favorable, les mesures prises ont été nombreuses pour orienter les investissements industriels vers les régions souhaitées. Des mesures limitatives d'abord pour freiner le développement de l'industrie parisienne : toute construction de locaux à usage industriel devait faire l'objet d'une autorisation et était frappée d'une taxe dont le montant augmentait avec la proximité du centre de l'agglomération; les villes nouvelles avaient toutefois un régime à part. Des mesures d'incitation surtout, sous forme d'une prime destinée à susciter la décentralisation d'entreprises parisiennes, à favoriser l'implantation d'usines nouvelles dans certaines parties du pays, à aider la conversion économique des zones déprimées, enfin à attirer les investissements étrangers. Le champ d'action de ces aides varie selon les diverses parties du pays (fig. 49); remarquons au passage que la carte reflète bien la configuration générale de l'espace français, à la fois auréolaire et dissymétrique. L'Ouest, le Sud-Ouest, la Corse et la plus grande partie du Massif Central bénéficient du régime le plus favorable; de même que les zones de conversion industrielle : bassins houillers du Nord et du Massif Central, foyers sidérurgiques du Nord, des Ardennes, de Lorraine et du Massif Central, ports voués à la construction navale de La Ciotat et de La Seyne; depuis 1984, des mesures exceptionnelles ont été prises de façon à rendre moins douloureuse la restructuration industrielle dans quatorze « pôles de conversion ». Au contraire, le centre du Bassin Parisien ne bénéficie d'aucune aide. A ces mesures, il faut ajouter l'établissement de contrats de localisation passés avec les grandes firmes, la création de plusieurs commissariats au développement industriel (Nord, Lorraine, Ouest atlantique, Façade méditerranéenne), enfin la participation directe de l'État aux grandes opérations industrielles (usines sidérurgiques de Dunkerque et de Fos, usine nucléaire du Tricastin).

Cette politique a donné des résultats incontestablement positifs, puisque, dans les seules années 62 à 68, le nombre d'emplois industriels a diminué de 21 000 dans l'agglomération parisienne et augmenté de 500 000 en province dont la plus grande partie, les 2/3, dans la partie ouest. L'évolution s'est poursuivie ensuite dans le même sens : le mouvement de désindustrialisation s'est même accentué dans l'agglomération de Paris, tandis que de nombreux emplois ont été créés en Bretagne et en Basse-Normandie jusqu'à la crise économique. Les mesures prises ont donc contribué à réduire

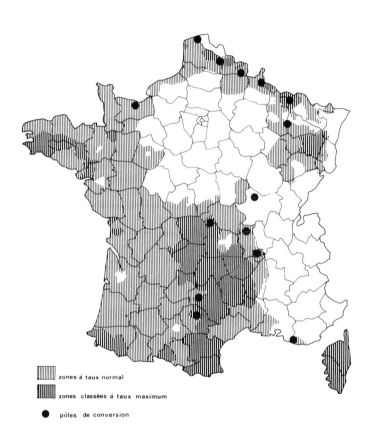

Fig. 49. — Aides financières de l'État
pour le développement industriel

sensiblement le déséquilibre est-ouest et même le déséquilibre Paris-province en ce qui concerne les emplois industriels.

Cependant, une analyse plus détaillée fait apparaître les limites de cette politique.

Rares ont été les véritables décentralisations. Le plus souvent, il y a eu extension en province d'entreprises parisiennes désirant diminuer la part des salaires dans leurs fabrications. Aussi trouve-t-on surtout des unités de fabrication sans grande autonomie, dépendant étroitement de Paris, ne fournissant que des produits peu élaborés et utilisant une main-d'œuvre peu qualifiée.

Quant à la conversion industrielle des bassins miniers du Nord, de Lorraine ou du Massif Central, elle est restée insuffisante. Les emplois créés sont loin d'avoir compensé ceux, très nombreux, qui ont disparu avec la récession de l'activité minière et industrielle. La politique de conversion n'a pas empêché les divers bassins de connaître de graves difficultés; ils ont tous enregistré des soldes migratoires nettement négatifs depuis 1968.

Si la moitié occidentale de la France a connu globalement un vif mouvement d'industrialisation au cours des années 60 et au début des années 70, sa distribution dans l'espace a été très inégale. C'est surtout l'ouest du Bassin Parisien qui en a profité jusqu'à une distance de 200-250 km de la capitale; la Bretagne a reçu également beaucoup d'activités nouvelles; par contre le Sud-Ouest, le Massif Central et le Languedoc n'ont guère été favorisés. C'est ainsi que, de 1954 à 1971, la région Centre a vu se créer huit fois plus d'emplois industriels que la région Midi-Pyrénées; et la Haute-Normandie treize fois plus que le Languedoc-Roussillon. En effet, les avantages financiers donnés par les primes n'ont été qu'un des facteurs de localisation pour les investissements industriels mais pas toujours le plus important.

Notons enfin que les plus grosses opérations industrielles faites au cours de cette période — Dunkerque, Fos, Tricastin — n'ont pas concerné la moitié occidentale mais la moitié orientale de la France.

Depuis 1973 et surtout depuis 1981, la situation a changé. L'expansion de l'industrie s'est arrêtée et le redéploiement spatial de ses unités de production est à peu près stoppé. Pire : des excédents de main-d'œuvre sont apparus dans diverses branches; parmi les plus touchées figurent toujours les mines, la sidérurgie et le textile, mais à cette liste il faut désormais ajouter la métallurgie des métaux non ferreux, les chantiers navals et l'automobile. Plusieurs bassins d'emploi sont durement frappés, tout spécialement dans le Nord-Pas-de-Calais et la Lorraine où des soldes migratoires fortement négatifs ont été enregistrés au cours des années 1975-1982 et 1982-1990; la Picardie, la Haute et la Basse-Normandie, la Champagne, la Bourgogne, la Franche-Comté et même l'Ile-de-France sont également atteintes. La politique d'aménagement du territoire, tout en maintenant les dispositifs adoptés antérieurement, s'est donc surtout appliquée au cours des dernières années à sauver les emplois qui peuvent l'être. Certes, plusieurs branches industrielles sont promises à un certain avenir (les énergies nouvelles, l'électronique, les télécommunications, les biotechnologies, l'aéronautique, l'espace, l'exploitation des océans, les nouveaux matériaux), mais la plupart des branches industrielles vont connaître des temps difficiles.

L'accent est mis désormais sur les technopôles, c'est-à-dire sur les zones d'activités où sont installés centres de recherche et industries de pointe. Le premier a été réalisé à Sophia-Antipolis, près de Nice mais le plus important est la Cité Scientifique de Paris-Sud (Évry, Massy, Saint-Quentin, Melun-Sénart) : il représente à lui seul plus des 2/5 de la recherche-développement en France. Grenoble et Montpellier ont également d'importants technopôles (fig. 50).

3. *Les activités tertiaires* ont intéressé aussi les responsables de l'aménagement en raison du rôle fondamental qu'elles jouent dans l'organisation de l'espace. Le secteur industriel, aussi important soit-il, ne saurait être seul considéré dans un pays qui est devenu largement « tertiaire ».

Diverses mesures ont été prises pour favoriser le mouvement de déconcentration des activités tertiaires parisiennes. Le système adopté ressemble à celui qui est en vigueur dans l'industrie. Dans l'agglomération, la création de bureaux est soumise à la procédure

**Fig. 50. — Technopoles
et agglomérations technopolitaines**

Source : *Atlas international des technopoles*, DATAR.

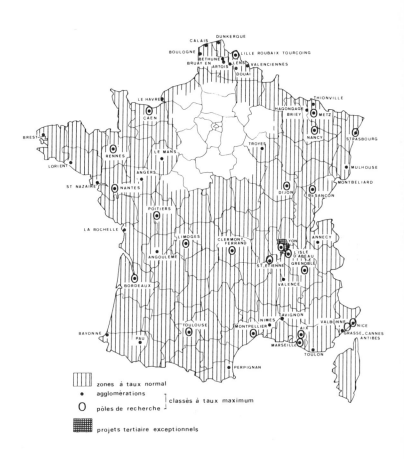

**Fig. 51. — Aides financières de l'État
pour le développement tertiaire**

d'agrément et grevée de redevances plus ou moins lourdes de façon à éviter l'hypertrophie des quartiers centraux et à favoriser les villes nouvelles ou les pôles restructurant la banlieue. A l'inverse, l'installation de nouveaux bureaux est encouragée par des primes dans les pays de la façade atlantique et dans certaines villes ou foyers de la France orientale (fig. 51). En outre, la D.A.T.A.R. négocie des contrats de localisation avec les grandes entreprises publiques ou privées pour influencer leurs extensions futures.

Les résultats obtenus jusqu'à présent n'ont pas été très substantiels, mais il est vrai que les mesures prises l'ont été bien plus tardivement que pour l'industrie : à partir de 1967 et surtout de 1971.

La déconcentration des administrations centrales a été faible jusqu'à ce jour. Quelques services n'ayant aucun caractère décisionnel ont été déplacés en province, mais le mouvement a été vite arrêté devant l'hostilité fréquente des personnels. Depuis 1981, la politique de déconcentration a cependant été maintenue et tous les ministères sont invités à y participer.

Le desserrement des activités de bureau ne se fait que très lentement. Les firmes installées à Paris ne souhaitent pas, dans leur immense majorité, déplacer leurs sièges sociaux, car elles trouvent de nombreux avantages à rester dans la capitale en dépit du coût très élevé des locaux. Il est cependant de plus en plus difficile pour les entreprises d'installer des bureaux à Paris en raison du niveau élevé des prix et de la sévérité des mesures de dissuasion.

La déconcentration de l'enseignement supérieur et de la recherche a rencontré plus de succès : les universités de province ont connu un important développement depuis une quinzaine ou une vingtaine d'années, quelques grandes écoles et plusieurs centres de recherche ont été installés hors de Paris : ainsi, l'École supérieure d'Aéronautique et le Centre national d'Études spatiales ont été déplacés à Toulouse; l'École Normale Supérieure de Saint-Cloud a été transférée à Lyon et l'École Nationale d'Administration, symbolique entre toutes, a été envoyée à Strasbourg. L'objectif est de créer quelques pôles d'enseignement et de recherche en province. C'est également dans cette perspective qu'a démarré le pôle d'activités de recherche de Valbonne dans l'arrière-pays de Cannes.

Le desserrement des activités de la branche «banques et assurances» a également donné certains résultats. Diverses villes du Bassin Parisien ou des régions périphériques ont reçu des établissements importants. Des mesures ont été prises pour promouvoir Lyon comme place bancaire. Cependant, on note le même phénomène que pour l'industrie : la province bénéficie surtout des programmes d'extension des entreprises, très rarement de vraies décentralisations; les emplois créés sont essentiellement subalternes; les activités de haut niveau restent étroitement rassemblées à Paris.

Au total donc, le tertiaire supérieur connaît des changements de localisation, mais pas au point de changer beaucoup sa distribution spatiale ni, par voie de conséquence, la configuration générale de l'espace français. Celui-ci reste toujours dominé par la capitale ou, très secondairement, par les plus importantes des métropoles régionales. Hors de Paris, trois villes seulement — Lyon, Strasbourg et Toulouse — ont des fonctions internationales un peu importantes mais qui sont loin d'avoir le rayonnement des fonctions d'une ville comme Genève qui n'a pourtant que 300 000 habitants. Lille et Marseille, en dépit de leur importance démographique, n'ont que des activités internationales mineures. Le tableau est très différent dans certains pays voisins. En Allemagne, quatre villes ont des fonctions internationales très importantes; il y en a trois aux Pays-Bas et deux en Suisse.

4. *Les équipements* ont également fait l'objet de l'attention des «aménageurs». On ne saurait réorganiser l'espace sans une bonne politique des moyens de communication, surtout dans un pays comme la France où les divers réseaux connaissent certaines insuffisances face aux énormes besoins actuels.

Divers schémas ont été établis et d'importants travaux ont été effectués depuis une quinzaine d'années. Il faut au moins signaler les plus importants :

— Dans le domaine portuaire, les plus gros travaux ont été effectués à Dunkerque et Fos pour la réception des minéraliers de grande taille ainsi qu'à Antifer, près du Havre, pour accueillir les supertankers.

— Le réseau navigable a été amélioré grâce aux travaux entrepris sur le Rhône, la Moselle et l'Oise; grâce aussi au canal d'Alsace. Cependant, la France conserve toujours un sérieux retard dans ce domaine par rapport aux nations de l'Europe du Nord-Ouest : sa batellerie est insuffisante et ses voies d'eau sont nettement sous-utilisées. La réalisation d'une liaison entre le Rhin et le Rhône, par la Porte d'Alsace, ne se fera pas ou du moins n'interviendra pas avant longtemps car les bénéfices attendus dans le domaine industriel sont sans commune mesure avec le coût énorme de l'opération.

— Le réseau ferré a fait l'objet d'importants aménagements. Les améliorations portent sur les axes importants : beaucoup de voies a faible trafic ont été abandonnées, dans le Massif Central surtout, mais tous les grands axes ont désormais des trains rapides; des dessertes cadencées ont été mises en place dans quelques zones urbaines de la partie orientale à l'exemple du « Métrolor » Nancy-Thionville. Une réalisation importante a été mise en service en 1981 : la nouvelle voie à très grande vitesse entre Paris et Lyon mettant la métropole rhodanienne à deux heures de Paris et améliorant nettement les communications entre Paris et tout le sud-est du pays, du Jura à la côte méditerranéenne; à l'image de ce t.g.v.-Sud-Est, il a été décidé de construire un t.g.v.-Atlantique pour améliorer les liaisons entre Paris et les régions de l'Ouest et du Sud-Ouest dont la mise en service date de 1990. Le t.g.v.-Nord a été décidé en direction de Lille et, au-delà, de Londres, Bruxelles, Amsterdam et Cologne; le tunnel sous la Manche devrait normalement être mis en service en 1994. Un t.g.v.-Est, vers Strasbourg et Francfort, est en projet pour 1996. Pour la construction de voies ferrées nouvelles, autorisant de grandes vitesses, la France a une certaine avance sur ses voisine et elle devrait la conserver pendant un certain temps. Dans le futur, la région Ile-de-France devrait être la principale plaque tournante d'un réseau européen de t.g.v. (fig. 52).

— Le trafic aérien intérieur s'est développé rapidement depuis une quinzaine d'années, mais toutes les lignes importantes sont des radiales partant de Paris. C'est la partie orientale qui a bénéficié des principaux travaux d'infrastructure; deux aéroports importants

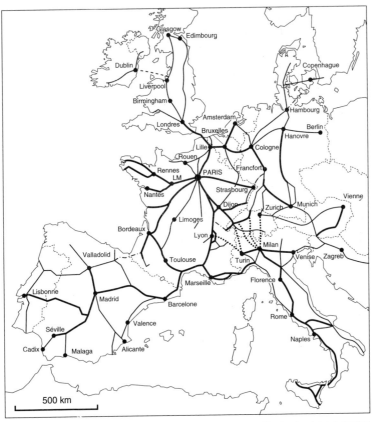

Fig. 52. — Réseau européen des futurs T.G.V.

Réseau projeté à l'horizon 2015.

Source : P. Bruyelle, in *La France dans le monde* (dir. G. Wackermann), Nathan, 1992.

ont été mis en service, à Roissy au nord de Paris et à Satolas à l'est de Lyon.

— Le réseau routier a reçu de nombreuses améliorations, mais il reste encore beaucoup à faire, notamment dans le Massif Central et la Bretagne qui sont les parties les moins bien desservies du territoire. Après un démarrage tardif et lent, un réseau d'autoroutes a finalement été construit : celui-ci atteint 6 000 km en 1988 pour les seules liaisons interurbaines. Parmi les nouveaux équipements de circulation, c'est l'élément le plus important; aussi peut-on regretter qu'il n'ait pas modifié l'équilibre du territoire : le réseau reste centré sur Paris, presque autant que le réseau ferré du siècle dernier.

L'aménagement des villes et des espaces menacés

L'aménagement ne saurait être seulement un ensemble d'interventions sectorielles. Dans une même région, les actions entreprises séparément peuvent ne pas être cohérentes; des conflits peuvent surgir pour l'utilisation du sol. Il est donc indispensable de considérer globalement les divers aspects d'un même territoire. Aussi les responsables de l'aménagement ont-ils été amenés rapidement à envisager des actions globales, portant simultanément sur un ensemble d'aspects.

Trois types d'espaces ont attiré particulièrement l'attention : les campagnes, les rivages et les agglomérations urbaines :

1. *Les campagnes* sont avant tout menacées par l'insuffisance du peuplement et des équipements, par la « désertification ». La densité de la population rurale est tombée au-dessous de 15 habitants par km² dans une douzaine de départements; dans quelques-uns d'entre eux et dans un grand nombre de cantons, elle est même descendue au-dessous de 10. La déprise humaine est continue depuis un siècle et demi environ, et elle se poursuit. Ces campagnes perdent non seulement leurs agriculteurs, mais aussi leurs artisans, leurs commer-

çants, leurs instituteurs et leurs médecins. La population est âgée et les jeunes s'en vont. Dans certaines parties du territoire, très peu peuplées, l'agriculture devient extensive, les friches s'étendent, les chemins sont envahis par la végétation, beaucoup de bâtiments tombent en ruines; certains services publics ou privés disparaissent ou se dégradent faute d'une clientèle suffisante. Ces campagnes sont guettées par l'abandon. Sans doute la France a-t-elle de larges réserves d'espaces, bien plus que les autres pays industriels de l'Europe, mais on ne saurait pour autant se résoudre à en voir une bonne partie livrée aux ronces ou aux vipères.

Pour faire face à la situation généralement mauvaise des campagnes, les responsables de l'aménagement ont lancé une politique de rénovation rurale et une politique de la montagne qui s'appliquent aux grands massifs montagneux, à la Bretagne et aux trois régions du Sud-Ouest. Notons tout de suite qu'il s'agit en fait d'espaces bien différents les uns des autres; on peut s'étonner de leur voir appliquer le même traitement; quoi de commun entre la situation du Jura et des Pyrénées, de la Savoie et de la Haute-Provence, des hauteurs corses et des bocages armoricains? Les Alpes du Nord ne sont pas menacées par la dépopulation, mais par l'invasion touristique et l'urbanisation anarchique qui en résulte; la Bretagne intérieure souffre moins du sous-peuplement que du sous-équipement. Deux objectifs sont recherchés : d'abord la modernisation des entreprises agricoles par le développement de l'élevage et de la sylviculture, ensuite le maintien de la population par des aides destinées à favoriser l'artisanat, la petite industrie, le tourisme et les équipements collectifs.

Étant donné l'étendue des espaces concernés, les efforts à fournir sont considérables. Des résultats positifs ont été obtenus ici et là mais il reste beaucoup à faire.

Cette politique destinée à maintenir une occupation suffisante de l'espace n'exclut pas celle qui est destinée à sauvegarder des zones naturelles pour les mettre à l'abri de déprédations irréversibles. Les parcs nationaux ont été créés tardivement en France, seulement à partir des années 60, mais on en compte plusieurs aujourd'hui dans les parties vides ou très faiblement occupées : ce sont notamment les parcs de la Vanoise, des Écrins, des Pyrénées occidentales et des Cévennes. Ces parcs nationaux doivent être distingués des parcs régionaux qui sont des zones de protection de la nature et de loisir, facilement accessibles par les citadins en général (fig. 53).

2. *Le littoral* connaît une situation inverse de celle des espaces précédents : il est menacé par l'urbanisation, la suroccupation et la prolifération des activités. Nulle part ailleurs, la concurrence n'est plus forte entre les diverses demandes. La pêche, l'ostréiculture, l'aquaculture, l'extraction du sel marin, la construction et la répartition des navires, le commerce maritime, la sidérurgie, la pétrochimie, les centrales nucléaires et les activités balnéaires réclament de la place; l'habitat, avec les formes diffuses qui sont le plus souvent adoptées, occupe des surfaces considérables; des conflits surgissent, car telle utilisation exclut souvent telle autre. Le littoral connaît donc aujourd'hui une situation inquiétante; il est très largement approprié par des particuliers jusqu'en bordure de mer, ce qui bloque ou rend difficile tout projet d'aménagement; de nombreux paysages, et en particulier les plus beaux, sont détériorés par une urbanisation incontrôlée ou des équipements inesthétiques; enfin, la pollution de l'eau et des plages s'est accrue considérablement à certains endroits. Le littoral est à la fois attirant et fragile. C'est un milieu d'une valeur exceptionnelle, mais qui peut être facilement détruit.

Aussi les rivages de la France demandent-ils une politique rigoureuse d'aménagement. Longs de 5 000 km, ils constituent une richesse inestimable, mais qu'il convient de préserver avec soin.

D'excellents principes ont été retenus à cette fin. Il est d'abord nécessaire de réaliser un aménagement en profondeur; la multiplication des demandes ne permet pas de les satisfaire toutes sur la ligne de côte elle-même; certaines activités ou certains équipements peuvent rendre les mêmes services dans l'arrière-pays immédiat; la place doit être laissée à ceux pour qui l'implantation en bord de mer est indispensable. Ensuite, il est nécessaire d'éviter la multiplication des résidences principales ou secondaires et de conserver des zones protégées. Ces intentions commencent à entrer dans les faits : en 1975, un Conservatoire de l'espace littoral a été créé dans le but de protéger la côte, de préserver des zones naturelles ou d'installer des zones de loisir légèrement équipées. Plus de 28 000 ha ont été acquis couvrant 7 % du littoral (fig. 53).

Jusqu'à présent, l'État a surtout fait des aménagements touristiques dans la partie méridionale de la France :

— Dans le Languedoc-Roussillon, l'aménagement du littoral est maintenant terminé. Commencé en 1963, il avait pour but de créer une nouvelle zone d'accueil pour les vacanciers et de ranimer l'économie régionale trop orientée vers la viticulture. L'opération, menée rapidement, a eu un caractère global : travaux d'assainissement, adductions d'eau, établissement de routes, construction de sept stations touristiques et de ports de plaisance, boisements; dans l'ensemble, elle est réussie. Un nouvel espace de vacances a été ouvert. Cet aménagement, avec toutes les infrastructures qui ont été nécessaires, a largement contribué à la mutation économique de la région Languedoc-Roussillon.

— L'aménagement de la côte Aquitaine a démarré plus tardivement, en 1967, dans le but d'équiper un rivage peu utilisé, qui offrait donc de vastes espaces naturels. Le principe est le même que dans le cas précédent : il consiste à établir des stations bien équipées et séparées par de vastes secteurs protégés; mais le projet est moins important et sa réalisation est sensiblement plus lente.

— L'aménagement touristique de la Corse a commencé plus tard encore, en 1971, et seulement sous forme d'actions ponctuelles. Ce n'est, de toute façon, qu'un des aspects du plan d'aménagement et d'équipement de l'île : celui-ci intéresse également l'agriculture, l'industrie, les services, les transports intérieurs et les moyens d'accès.

3. *Les agglomérations urbaines* représentent l'élément fondamental de la politique d'aménagement du territoire. Dès les origines, les responsables de la D.A.T.A.R. ont perçu l'importance de ce que pouvait représenter l'armature urbaine pour leurs objectifs économiques et sociaux. Confrontés à un réseau profondément déséquilibré par une capitale pléthorique et des villes de province manquant de puissance, ils ont d'abord lancé une politique corrective destinée à limiter la croissance de l'agglomération parisienne et à renforcer

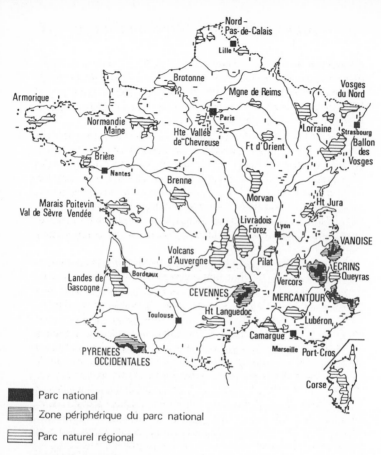

Parc national

Zone périphérique du parc national

Parc naturel régional

-_ Sites classés

.. Terrains du conservatoire du littoral

'ı Réserves naturelles

Fig. 53. — Espaces naturels protégés

Source : J. Demangeot, in *La France dans le monde* (dir. G. Wackermann), Nathan, 1992.

quelques grandes villes promues «métropoles d'équilibre»; moins d'une dizaine d'années après, il est apparu que la concentration de la population dans un petit nombre de pôles était néfaste et qu'il fallait plutôt rechercher une croissance plus harmonieuse donnant la priorité aux villes moyennes.

La politique des *métropoles d'équilibre* a été lancée à partir de 1964 avec pour objectif principal de développer quelques villes paraissant aptes à soutenir la comparaison avec les métropoles des pays voisins et susceptibles d'animer la vie économique, sociale et culturelle des régions. Huit métropoles ont été retenues, rappelons-le, dont certaines sont curieusement composées de deux ou trois villes : Lille, Nancy-Metz-Thionville, Strasbourg, Lyon-Saint-Étienne-Grenoble, Marseille-Aix, Toulouse, Bordeaux et Nantes-Saint-Nazaire.

Ces métropoles ont bénéficié de diverses mesures. On a cherché à y développer les activités industrielles et tertiaires ainsi que les moyens de liaison avec les autres grandes villes ou l'étranger; on a réalisé certains équipements et lancé quelques opérations d'urbanisme. Pour Lyon, par exemple, des efforts ont été faits pour développer l'activité bancaire et l'industrie; un centre décisionnel a été construit à la Part-Dieu; l'aéroport international de Satolas a été ouvert et un métro a été construit; enfin la ville nouvelle de l'Isle-d'Abeau commence à prendre forme. Pour éviter que ces métropoles ne se développent de façon incohérente, des schémas de croissance et d'aménagement ont été établis par les O.R.E.A.M. (Organisations d'Études d'Aménagement des aires métropolitaines) de façon à préciser la localisation des grands équipements, des axes de transport, des zones industrielles et des coupures vertes. Tous les schémas sont en cours de réalisation.

Cette politique a pourtant connu des résultats mitigés. Les métropoles ont reçu des équipements nombreux, mais elles n'ont pas toujours gagné beaucoup d'autonomie par rapport à Paris; leur développement a été rapide, mais il a souvent paru se faire au détriment des pays environnants. Leur poids s'est alourdi à l'intérieur des régions au point de provoquer parfois des réactions défavorables. Finalement, il est apparu peu souhaitable de recréer, au niveau régional, une concentration excessive d'hommes et d'activités analogue à celle qu'on déplore au niveau national.

La politique des métropoles d'équilibre a donc peu à peu changé de contenu. L'objectif du développement quantitatif a été abandonné au profit d'un développement qualitatif : il a semblé plus important d'y installer des services de haut niveau, de favoriser les transports intra-urbains et d'améliorer le cadre de vie.

La politique des *villes moyennes* exprime également la priorité accordée à la qualité. Elle est née en 1971 de la prise de conscience des difficultés croissantes de la vie dans les grandes agglomérations. Elle vise à promouvoir un nouveau mode de vie dans des villes aux dimensions humaines pouvant aller de 20 000 à 200 000 habitants.

Il ne s'agit pas ici d'aider le développement − il se fait tout naturellement car les villes moyennes connaissent une croissance satisfaisante −, mais d'améliorer le cadre de vie, notamment par la revitalisation des centres, la conservation du patrimoine architectural, la rénovation de l'habitat ancien, l'établissement de voies piétonnes et d'espaces verts.

Bon nombre de villes moyennes ont signé des contrats avec l'État afin de recevoir une aide destinée à réaliser de tels projets mais, dès à présent, on peut tout de même noter que cette action relève plus de l'urbanisme que de l'aménagement du territoire et qu'elle s'applique à un ensemble très disparate de centres. Il serait peut-être plus judicieux d'envisager des réseaux de villes, pour mieux les équiper et les relier en favorisant les complémentarités, que d'aider tel ou tel centre à améliorer son cadre de vie.

La politique des *villes nouvelles* a constitué un autre volet des actions d'aménagement relatives au milieu urbain. Elle visait à créer des pôles entièrement neufs, adaptés aux conditions de vie actuelles et destinés à freiner la croissance en tache d'huile des grandes agglomérations. Au total, huit villes nouvelles ont vu le jour dont cinq aux marges de l'agglomération parisienne (Cergy, Évry, Marne-la-Vallée, Melun-Sénart et Saint-Quentin-en-Yvelines) et quatre en province (Lille-Est, l'Isle-d'Abeau près de Lyon, Berre-Fos près de Marseille et Le Vaudreuil près de Rouen); cette dernière a constitué un échec et a perdu son statut de ville nouvelle. Les autres ont eu un développement très inégal mais toujours beaucoup plus lent que celui envisagé au départ. Au total, les sept villes nouvelles n'ont pas beaucoup plus de 700 000 habitants en 1990.

La politique d'aménagement suivie pour *l'agglomération parisienne* se situe à deux niveaux différents : celui de l'espace urbain et celui de l'espace français tout entier. C'est le second qui doit ici retenir l'attention.

La nécessité d'une politique visant à limiter la croissance de l'agglomération parisienne n'est plus à démontrer. Les inconvénients entraînés par cette gigantesque concentration humaine sont multiples. Les premiers à en souffrir sont les Parisiens eux-mêmes : les logements et les services sont exagérément coûteux, les éléments les moins favorisés de la population sont de plus en plus rejetés à la périphérie, les encombrements sont quotidiens, l'air est pollué, la saleté est croissante, l'insécurité se développe, le cadre de vie est généralement très médiocre, les relations entre les individus sont difficiles. Ces problèmes ne sont évidemment pas particuliers à Paris; ils existent dans toutes les grandes agglomérations du monde et ils ont suscité des politiques de contrôle parfois sévères.

A Paris, des mesures ont été prises pour limiter le développement quantitatif de l'agglomération dès le début de la politique d'aménagement du territoire : toutes les activités nouvelles, dans le domaine de l'industrie ou des bureaux, sont soumises à autorisation et sont frappées de taxes; ceci touche surtout le centre de l'agglomération, car, simultanément, le redéploiement des activités vers les « villes nouvelles » ou les villes du Bassin Parisien a été organisé. Cette politique est pourtant d'un maniement délicat, car il convient de ne pas créer des problèmes d'emploi; d'autre part, il est apparu nécessaire d'épanouir certaines fonctions pour améliorer la position de la France à l'intérieur de l'Europe : il a été prévu en particulier de développer la fonction financière pour laquelle Paris occupe aujourd'hui une situation jugée peu favorable.

En termes quantitatifs, les résultats obtenus ont été substantiels. Un tournant a été pris. Il y a eu un ralentissement sensible de la croissance de l'agglomération : alors que l'augmentation annuelle de la population a été de 1,7 % pendant la période 1954-1962 et de

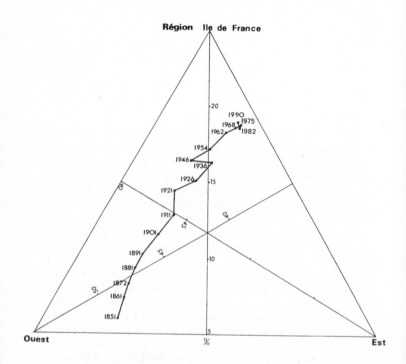

Fig. 54. — Part respective de la population vivant dans les trois grands ensembles régionaux depuis 1851

Les mêmes tendances se sont presque toujours manifestées : renforcement de la région Ile-de-France, affaiblissement de la France de l'Ouest, résistance de la France de l'Est. Depuis 1968 cependant, l'évolution est devenue plus lente et plus incertaine.

1,5 % pour 1962-1968, elle est tombée à 0,6 % pour 1968-1975 et à moins de 0,3 % pour 1975-1982. Il convient pourtant de souligner que le ralentissement n'a été que temporaire : la croissance de l'agglomération a en effet repris au cours de la période 1982-1990 avec près de 0,9 % par an, soit nettement plus que dans l'ensemble de la France métropolitaine (0,5 %). La tendance à la concentration paraissait avoir été inversée. Il semble qu'elle ait été simplement ralentie si on considère les années 70 et 80 afin d'éviter les fluctuations apparaissant à la comparaison des diverses périodes intercensitaires (fig. 54).

*

De Dunkerque à la côte languedocienne, les réalisations dues à la politique d'aménagement du territoire sont donc très nombreuses et nul ne peut nier que certaines d'entre elles ont une grande ampleur.

Le chemin à parcourir cependant semble encore très long. Le mouvement de réorganisation de l'espace français a commencé mais les déséquilibres qui existent entre Paris et la province ou entre l'Est et l'Ouest exigeront encore beaucoup de temps avant d'être vraiment atténués.

Il est vrai que le rééquilibrage d'un territoire comme celui de la France n'est pas simple. Il demande beaucoup d'efforts et de continuité dans la politique suivie. Aménagement, décentralisation, régionalisation, correction des déséquilibres : ces mots recouvrent des aspirations qui mettent en cause l'organisation politique, sociale et économique de la France; et celle-ci ne peut évidemment être modifiée qu'avec lenteur. Il apparaît maintenant que la lutte contre les déséquilibres spatiaux ne peut se faire sans des changements importants dans divers domaines et notamment sans une lutte contre les inégalités. *L'aménagement du territoire français, en fin de compte, ne peut être séparé de l'aménagement de la société française.*

LECTURES

AYDALOT (Ph.), « L'aménagement du territoire en France, une tentative de bilan », *L'Esp. géogr.*, Paris, 1978, p. 245-254.

BASTIÉ (J.), « La décentralisation des activités tertiaires en France », *Anal. de l'Esp.*, 1978 (4) — « La décentralisation industrielle en France, 1954-1980 », *Anal. de l'Esp.*, 1980 (2).

BENKO (G.), *Géographie des technopôles*, Paris, Masson, 1991, 223 p.

BROCARD (M.), « Aménagement du territoire et développement régional : le cas de la recherche scientifique », *L'Esp. géogr.*, 1981 (1), p. 61-73. — *La science et les régions. Géoscopie de la France*, Reclus — La Doc. Franç., 1990, 268 p.

BRUNET (R.), *Aménagement et futur français*, Paris, Larousse, coll. « Découvrir la France », n° 112, 1974, p. 141-160.

FRÉMONT (A.), « L'aménagement régional en France. La pratique et les idées », *L'Esp. géogr.*, Paris, 1978, p. 73-84.

GRAVIER (J. F.), *L'Aménagement du territoire et l'avenir des régions françaises*, Paris, Flammarion, 1964, 336 p.

GUÉRIN (J. P.), *L'aménagement de la montagne*, Gap, Ophrys, 1984.

GUGLIELMO (R.), « Le redéploiement industriel en France », *Hérodote*, 1981, n° 13, p. 33-60.

LABORIE (J. P.), LANGUMIER (J. R.), de ROO (P.), *La Politique française d'aménagement du territoire de 1950 à 1985*, Paris, La Doc. Franç., 1985, 176 p.

LANVERSIN (J. de), *La Région et l'aménagement du territoire*, Paris, Libr. Techn., 1979, 435 p.

MADIOT (Y.), *L'Aménagement du territoire*, Paris, Masson, 1979, 231 p.

MERLIN (P.), « Les villes nouvelles françaises », Paris, Docum. Franç., *Notes et Études Doc.*, 1976, n° 4286 — *Géographie de l'aménagement*, Paris, P.U.F., 1988, 334 p.

MICHAUD (J. L.), *Manifeste pour le littoral*, Paris, Berger-Levrault, 1976, 306 p.

MONOD (J.), *Transformation d'un pays, pour une géographie de la liberté*, Paris, Fayard, 1974, 186 p.

MONOD (J.) et CASTELBAJAC (Ph. de), *L'Aménagement du territoire*, Paris, P.U.F., coll. « Que-sais-je ? », 5ᵉ éd., 1987, 127 p.

Propositions pour l'aménagement du territoire (rapport présenté par O. Guichard), Paris, La Doc. Franç., 1986, 60 p.

UHRICH (R.), *La France inverse ?*, Paris, Economica, 1987, 390 p.

Outre ces publications, il est indispensable de consulter la collection de la D.A.T.A.R., *Travaux et Recherches de Prospective* (Schéma général d'aménagement de la France), La Doc. Franç., Paris.

L'Atlas de l'aménagement du territoire, D.A.T.A.R. — La Doc. Franç., Paris, 1988, 368 p. est devenu le document de référence pour toute étude de l'aménagement de l'espace français.

TABLE DES FIGURES

LISTE DES TABLEAUX

TABLE DES MATIÈRES

Achevé d'imprimer en décembre 1992
Imprimerie Nouvelle, 45800 Saint-Jean-de-Braye
N° d'édition 10339
Dépôt légal janvier 1993